——かのひとの面影膳《おもかげぜん》

久々の陽光が、俎《まないた》橋を渡るひとびとの頭上に降り注《そそ》ぐ。長い間、雨を受け止め続けていた橋の踏板や欄干《らんかん》も乾《かわ》いて、その本来の色を取り戻しつつある。延々と続いた梅雨《つゆ》も、漸《ようや》く明けたようだ。足もとから立ちのぼる生乾きの木の匂《にお》いを、澪《みお》は胸一杯に吸い込んだ。嗅覚《きゅうかく》が戻って以降、どんな香りも愛《いと》おしい。

「あら」

つる家《や》の勝手口から中へ入った澪は、視界の端《はし》に青い色を認めて、そちらへ目を向けた。

板敷の一角に棚《たな》が設《しつら》えてあり、小さな壺《つぼ》がひとつ置かれている。先月、吉原廓《よしわらぐるわ》の火事で落命した又次《またじ》の遺骨替わりの灰が納《おさ》まっているのだ。澪の目が捉《とら》えたのは、そこに供えられている一枚の紫陽花《あじさい》だった。

角ばった花弁は夏空を思わせる清廉《せいれん》な青で、艶《つや》やかな大ぶりの葉には丸い水滴が載《の》っている。そこに一枝あるだけで、周辺の邪気《じゃき》が払われた。

けれど、と澪は知らず知らず眉根《まゆね》を寄せる。

「澪姉さん、お早うございます」

水桶《みずおけ》を手にしたふきが、澪を認めて声をかけた。兎文《うさぎもん》の散った紫紺《しこん》の単衣《ひとえ》に、きりりと締めた襷《たすき》の白が眩《まばゆ》い。

「この紫陽花は、ふきちゃんが？」

澪が眼差《まなざ》しで花を示して問うと、少女は、はい、と頷《うなず》いた。

「世継稲荷《よつぎいなり》の境内《けいだい》に咲いていたのを、一枝、分けてもらったんです。その、又次さんにと思って」

又次の名を口にする時、今もなお、ふきの声は僅《わず》かに震える。

澪は少し腰を屈《かが》めて少女の瞳《ひとみ》を覗《のぞ》き込むと、静かに命じた。

「ふきちゃん、その水は捨てて、すぐに手を洗っていらっしゃい」

怪訝《けげん》な表情を見せたふきだが、すぐさま勝手口を出て井戸端へと向かう。暫《しばら》く水を使う音がして、両の手を手拭《てぬぐ》いで拭《ふ》きながら、少女は戻った。

問いかける眼差しを受けて、澪はよく通る声で告げる。

「あまり知られていないけれど、紫陽花には毒があるの。ひとの口に入る物を作る料理人は、迂闊《うかつ》に触れてはいけないのよ」

少女は、はっと瞳を見開いた。

ええ、と、澪は頷いてみせる。

「よもや紫陽花を食材にするわけはなくても、万が一、ということもあるから」

「そう言ゃぁ、ご寮《りょん》さんも紫陽花は座敷に飾《かざ》ったことはなかったが、なるほどそういうわけかい」

内所《ないしょ》から顔を出して、種市《たねいち》が板敷へと歩み寄る。供えられた紫陽花の枝をひょいと手に取ると、皺《しわ》だらけの目を細めた。

「こんな綺麗《きれい》な花だ、又さんに、てぇ気持ちも無下《むげ》に出来ねぇよ。こいつぁ内所に飾らしてもらうぜ」

良いだろ、お澪坊ふき坊、と店主は言い残し、紫陽花を抱いて内所へと戻った。

「澪姉さん、済みません」

ふきは両の手を膝《ひざ》に置いて、頭を下げる。

謝ることではないわ、と澪は軽く首を振った。

「私も昔、天満一兆庵《てんまいっちょうあん》で教わったことなの。紫陽花と水仙、それに八《や》つ手《で》にも恐ろしい毒があるのよ。充分に気を付けて」

これからも私の知っていることはあなたに教えていくから、と言葉を添えた。

再び水を汲《く》みに出ていく少女の背中を見送ると、澪は板敷を振り返る。自分もまだまだ、これから精進《しょうじん》を重ねていく身。誰かを教え導《みちび》くのはまだ早い、との迷いもある。けれど又次から託《たく》されたのだ。

又次さん、どうか、そこで見守っていてくださいね。

物言わぬ壺に胸の内で語りかけると、澪は袖《そで》をたくし上げて手早く襷を掛け、ぎゅっと結んだ。心に気合が入り、よし、と頷く。

調理台には店主の仕入れてきた鯵《あじ》が山盛り、土間では新牛蒡《ごぼう》が土の香を放《はな》っている。茗荷《みょうが》に生姜《しょうが》、蓴菜《じゅんさい》も出番を待つ。

「おやまあ、澪さん、今朝もまた早いこと」

りうが二つ折れの姿を見せた。さほど間を置かず、路地に下駄《げた》の音が重なる。

「遅うなってしもて」

「暑い暑い、今日は朝から暑いねぇ」

芳《よし》とおりょうが揃《そろ》って調理場に顔を出した。

釣銭《つりせん》の用意を終えた店主が現れ、面々を順に眺《なが》めて声を張る。

「皆、今日も一日、気張ってくんな」

はい、と全員が応《こた》えて、つる家の新たな一日が始まった。

組板《まないた》の上に置かれた鯵は、身の丈《たけ》五寸（約十五センチ）。背の苔色《こけ》を帯びた眼《め》は澄み、鰭《ひれ》は張り、鱗《うろこ》は滑《なめ》らかに整う。全体は銀色に輝きながら、背の苔色《こけ》を帯びた銀、銀、腹にかけての白銀、と微妙な色みを持つ。細かく隆起したぜいごは如何《いか》にも頑丈そうだ。

「飛びきり良い鯵だわ」

澪は思わず吐息を洩《も》らした。

これほど新鮮なら、刺身にして卸《おろ》し生姜とともに食べるのが一番良い。だが、暖簾《のれん》を出すまでまだ刻《とき》がある。鯵は水気の多い魚なので、この時期は特に鮮度が落ちやすいのだ。

無難に塩焼きか、酢《す》で締めるか。

ぜいごを取り、鱗を引きつつ、あれこれ思案するが決めかねる。包丁を使ううち額《ひたい》に汗が浮き、澪は一旦《いったん》手を止めて手拭いで汗を拭った。

店の中に居てさえこうなのだ、表を歩くひとたちは堪《たま》らないだろう。炎天下を歩いてきて、どんな料理が出てくると嬉《うれ》しいだろうか。

湯気の立つご飯は辛《つら》い。つる家では酷暑の最中《さなか》はよく握り飯を出すが、そこまでするにはまだ早い。来たるべき更《さら》なる暑さに備えて、充分に身体《からだ》を作っておけるような、そんな料理が良い。

「お澪坊、今日はどんな献立《こんだて》にする気だい？」

次々に鯵を三枚に卸していく料理人の手もとを、店主は興味津々で眺めている。

「三枚に卸した、てぇことは塩焼きじゃあねぇんだな。刺身……な訳はねぇか」

「内緒です」

切り身に軽く塩をしながら店主の追及を躱《かわ》し、ふきに茗荷を洗って刻《きざ》むよう命じた。

四つ半（午前十一時）を過ぎる頃から陽射《ひざ》しは容赦《ようしゃ》がなくなり、まだ暑さに慣れていない江戸っ子の肌をじりじりと焼く。急に訪れた炎暑に、食欲の在《あ》り処《か》を忘れたひとびとが「この店なら」とつる家の暖簾を潜《くぐ》った。

「おいでなさいませ」

調理の手伝いを終えて下足番《げそくばん》へと戻ったふきが、よく通る声でお客を迎える。

「こいつぁ……」

運ばれてきた膳を見て、どのお客もごくりと生唾《なまつば》を飲み込んだ。

「今日は鯵だと聞いたから、てっきり塩焼きか何かだと思ったんだが」

青磁色の平皿には、寿司《すし》の切り身が並んでいる。脂《あぶら》の載った鰺の切り口の瑞々《みずみず》しいこと、寿司飯の断面の艶々《つやつや》と旨《うま》そうなこと。飯に混ぜ込まれている茗荷の薄紅《うすべに》と生姜の淡い黄がちらりと覗くのも、また美しい。

「うちの料理人が腕によりをかけた、鰺の棒寿司ですよ」

りうが歯のない口を全開にして、得意げに語る。

「下拵《したごしら》えした魚と寿司飯とを巻き簾《す》で締めて棒のように仕上げるから棒寿司って名前なんですがね」

何はともあれ召し上がってみてくださいな、と老婆に勧められて、お客らは箸《はし》を手に取った。

おずおずとひと口、最初は荒く噛《か》んでいた口もとが、次第にゆっくりになる。口中の幸福を惜しみながら飲み下すと、お客たちは揃って吐息をついた。

座敷があまりに静かなので、濤は気になって間仕切りから覗き見た。むんと熱のこもった座敷で、お客らは黙々と箸を進めている。蕁菜の赤出汁《あかだし》を干し、露生姜《つゆしょうが》を利かせた刻み沢庵《たくあん》を平らげると、各々《おのおの》、満ち足りた表情を浮かべて立ち上がった。

「俺《おら》ぁ言葉知らずなんで、上手《うま》く言えねぇんだが」

中年の墨職人と思しき男が、黒く染まった手で胃の腑《ふ》の辺りを撫《な》でながら言う。

「このところは弔《とむら》い続きで気も滅入《めい》って、おまけに今日の暑さだ。何もかもに嫌気《いやけ》がさしていたところへ、こんな旨いものを食わせてもらった」

まだまだ踏ん張らないと罰《ばち》が当たる、と結んで男は膳に銭を置いた。

全《まった》くだ、と幾人かが賛同の声を洩らす。入れ込み座敷へ手を合わせて、澪はそっと間仕切りを離れた。


「この仄《ほの》かに甘い酢飯に、茗荷と生姜がまた何とも」

丸い眼をきゅーっと細めたかと思うと、坂村堂《さかむらどう》は、うんうん、と頷いてみせる。

「こういうのを口にすると、実に慰《なぐさ》められます」

ようやく客足の途切れた入れ込み座敷で、版元《はんもと》の坂村堂と戯作者《げさくしゃ》の清右衛門《せいえもん》とが、店主を前に遅い昼餉《ひるげ》を摂《と》っていた。

「そうでしょうとも。江戸広しといえども、ここまで旨い棒寿司を作れる料理人ってえのは滅多にいませんぜ」

種市の低い鼻がぐんと高くなる。

「ふん、酢飯が甘いなど言語道断。全くもって許しがたい」

相変わらず憎まれ口を叩《たた》く清右衛門だが、青磁の器《うつわ》は既《すで》に空《から》になっていた。

常《つね》ならばお代わりを所望するはずの戯作者が、しかし今回は控えている。お茶を運んで、澪は内心、怪訝に思った。

「昨日に引き続き、今日も清右衛門先生とふたり、これからお悔やみに出かけるところなのです」

空の膳を前にお茶を啜《すす》りながら、坂村堂が声を落とす。

「昨日といい今日といい、亡くなったのがまだ幼い子供なので、こちらも慰める言葉もないのですよ」

幼い子供、と繰り返して、店主は暗い顔を版元に向けた。

「そう言やぁ、お客の中にも弔い続きだ、って話すのが居ましたが、一体どういうわけなんですかい、坂村堂さん」

種市の言葉に、坂村堂は重々しく首を振る。

「つる家さんは又次さんのことで大変でしたから、世間の出来事に目が向いておられないのも仕方ないでしょうね」

実は、と坂村堂が話して聞かせたのは、次のようなことだった。

江戸では卯月《うづき》より疫痢《えきり》に罹患《りかん》する者が出て、皐月《さつき》からこの水無月《みなづき》にかけて益々《ますます》その数を増やしている。疾風《はやて》、との異名《いみょう》を持つ疫痢は幼い子供が罹《かか》れば、あっという間に落命してしまうのだ。

「他人事《ひとごと》じゃあありませんよ」

座敷の隅《すみ》に控えていたおりょうが、声を震わせる。

「うちの太一《たいち》は九つ。『七つまでは神のうち』の七つは何とか越えたものの、何かあったら、と思うと生きた心地もしません」

「湿っぽいのは沢山《たくさん》だ」

戯作者は膳を押しやると、不機嫌な声で言い放って席を立った。

清右衛門本人から送るよう命じられて、澪は店主とともにそのあとに続く。

つる家の表には夏の陽《ひ》がぎらぎらと溢《あふ》れて、鋭く眼を射った。眩《まぶ》しい街並みのはずが、疫病の話を聞いた今は、どうにも沈んで見える。

「明日は水無月二度目の三方《さんぽう》よしだな」

料理人を振り返り、戯作者は横柄《おうへい》に言った。

「お前は料理人だ。あれこれと余計なことを考えず、まずは旨い肴《さかな》を出して、わしを喜ばせることだ」

わかったな、と念を押すと、呆《あき》れ顔の坂村堂を連れて俎橋を渡っていく。

「あの変わらなさが、俺ぁ時折り、心底羨《うらや》ましくなるぜ」

種市はほろ苦く笑い、先に中へと戻った。

澪は暫《しばら》くそこに佇《たたず》んで、前回の「三方よしの日」を思い返す。

常は酒を供さないつる家だが、月に三度、三のつく日は夕刻から酒と肴を出すことに決めている。前回の水無月三日は、又次の死から丸ひと月ということもあり、どうにも辛い一日だった。料理に向かう時は胸に陽だまりを抱いていよう、と決めていたはずが、果たせなかった。包丁を握りながらも、又次の様子が次々に思い出されて、幾度も手を止めて気持ちを整えねばならなかったのだ。又次の死を知る清右衛門はそれを見抜いて、ああ言ったのだろう。

澪はそっと胸に右の掌《てのひら》を置いた。

生地《きじ》越し、こつんと硬い感触がある。野江《のえ》と分かち合った片貝がそこに収まっている。無事は確認できたけれど、あのあと、野江がどう過ごしているのか、心配でならない。けれど翁屋《おきなや》がその後、何処《どこ》でどう見世《みせ》を開いているのかを知る術《すべ》を持たなかった。

清右衛門の言った通り、料理人として、自分に出来ることをするしかない。

また、そうすることがおそらく、誰よりも野江を安堵《あんど》させるだろう。今はそう信じるほかない。

胸に置いた手を狐《きつね》の形に結ぶと、澪は顔を上げて天を仰《あお》いだ。

翌朝、店主の筆で「三方よしの日」と書かれた紙がつる家の表格子《おもてごうし》に張り出されると、通りを行くひとびとの足が止まった。

「そうかそうか、今日は三方よしか」

早くも涎《よだれ》を拭う仕草をして、男たちは声高《こわだか》に話している。

「強面《こわもて》の料理人が郷里に帰っちまったから、ちょいと物足りなくなったなあ」

「何の何の、やっぱりこの店の料理人は、あの行き遅れの年増《としま》女でないと」

「いやいや、又次だったか、あの男の作る鰹《かつお》の焼き鱠《なます》の、旨かったの何の」

男たちが立ち話をする脇で、下足番が真っ赤な目をして俯《うつむ》いたまま箒《ほうき》を使う。干しておいた笊《ざる》を取り入れようと思った澪だが、男たちの立ち話が終わるのを、路地でじっと待つよりなかった。

調理場に戻っても雑念が尾を引くのを認めて、澪は軽く頭を払う。包丁を握った手に左の手を重ねて、暫《しば》し祈る。料理人としてすべきことを、と再度、胸の内で繰り返して、澪は鮎《あゆ》に向かった。

昼餉時、つる家の料理を楽しみに、一階の入れ込み座敷にも二階の小部屋にもお客が溢れた。

「二階、胡椒《こしょう》の間、鮎飯を三人前だす」

「澪ちゃん、こっちも鮎飯ふたつだよ」

調理場へ注文を通す声は途切れない。

澪の鮎飯は素焼きした鮎を水加減した米と一緒に炊き上げるから、飯粒の芯《しん》まで鮎の旨みが沁《し》みている。夏にこの鮎飯を口に出来ることを無上の喜びにするお客も多いのだ。お菜要《い》らずではあるが、口直しの香の物と、あっさりとした豆腐の澄まし汁と合わせて食せば、昼から随分と贅沢《ぜいたく》をした心持ちになれる。

「三方よしにも鮎は出るのか」

そう問いかけるお客も絶えない。

「塩焼きにしたのが出ますよ。ほかにも『ありえねぇ』や『忍び瓜《うり》』、茄子《なす》のしぎ焼きなんかも用意しますからね」

りうが答えると、どっと歓声が上がり、入れ込み座敷が揺れた。

調理場へ膳を取りに来た芳が、背後の座敷を振り返り、

「幸せなことだすなあ」

と、しみじみと呟《つぶや》いた。

鮎飯を飯碗《めしわん》に装《よそ》いながら、澪はこくんと頷く。自分の作る料理を、ああして心待ちにしてくれるひとびとが居るのだ。料理人として、これほど幸せなことがあるだろうか。拙《つたな》い恋を終えて以後、辛いことが重なったがゆえに、お客から与えられる幸せの深さを澪は思った。

「くうう、こいつぁ堪らねぇな」

冷酒を呑《の》み干して、目を瞑《つぶ》る者あり。焼きたての鮎の塩焼きをはふはふと頬張《ほおば》る者あり。「ありえねぇ」の名を与えられた、蛸《たこ》と胡瓜《きゅうり》の酢の物に舌鼓《したつづみ》を打つ者あり。

時の鐘が七つ（午後四時）を知らせてから徐々に埋まり始めた座敷は、暮れ六つ（午後六時）を過ぎる頃には満席となった。二階の三部屋も、お忍びの武家のお客で占められている。

「おりょうさん、そろそろ帰られても大丈夫ですよ」

太一のために、と気遣って澪が声をかけると、おりょうは笑って首を振った。

「三方よしの日くらいは、手伝わせておくれよ。親方の看病で長いこと勝手させてもらったからね。それくらいはさせとくれ。亭主にも言ってあるから、心配ないよ」

言い終えて、軽々と膳を抱えると調理場を出ていった。

間仕切り越しに、入れ込み座敷の賑《にぎ》わいが手に取るように届く。

「婆《ばあ》さん、忍び瓜のお代わりをくんな」

「おやまぁ、つる家の看板娘を捉《つか》まえて『婆さん』はあんまりですよ」

馴染《なじ》み客とりうとの掛け合いに、他のお客らから笑いが洩れる。知らぬ同士が何時《いつ》しか打ち解け合い、盃を重ねていく。旨い肴と酒の力が、互いの垣根を低くしていた。

「親父《おやじ》さん」

ふと、客のひとりが種市に語りかける。

「前にここに居た、又次とかいう料理人、ありゃあ良い腕をしてたな。郷里に帰ったと聞いたが、便りはあるのかい？」

不意を打たれて種市は言葉に詰まった。だが、それもほんの一瞬で、膳の上の空いた皿を引きながら、何でもないように答える。

「こっちの気も知らねぇで、出て行ったらそれっきり、便りひとつ寄越しやがらねぇんでさぁ。けどまあ、向こうで元気にやってるに違いありませんぜ」

「そうかい、そうかい」

会話は流れ、僅かに興味を持って聞き耳を立てていた他のお客たちも別の話をしている。

「鼻風邪《かぜ》ですかねぇ」

　鼻をぐずぐずさせて、おりょうが店主の脇をすり抜けて膳を運んだ。料理も酒も充分に行き渡り、調理場の澪も漸《ようや》くひと息つけるようになった。

　つる家の表に一挺《ちょう》の駕籠《かご》が止められたのは、丁度、そんな頃合いだった。

「ちょいと澪ちゃん」

　空いた膳を抱えて調理場へ戻ったおりょうが、座敷の方を顎先《あごさき》で示した。

「今来たお客なんだけどさ、何処《どこ》そのお大尽《だいじん》みたいだよ。ちょいと見てご覧な」

　つる家に駕籠で乗り付けた、と聞いて、澪は間仕切りから座敷を覗いた。

　入れ込み座敷の奥、いつもは清右衛門が座る席に案内されたのは、小柄な白髪の好々爺《こうこうや》だった。黒地の単衣に絽《ろ》の薄羽織、ちらりと覗く足袋《たび》の裏の純白が、暮らし向きの違いを如実《にょじつ》に語っていた。周囲のお客が腹掛けの大工だったり、股引《ももひき》姿の火消だったりする中で、しかし老人は物怖《ものお》じする様子もなく、穏やかに芳と話をしている。

「あら」

　その風体《ふうてい》にどうにも見覚えがある気がして、澪は首を傾げた。確かに何処かで会ったと思うのだが、どうにも思い出せなかった。

　店を終《しま》う夜五つ（午後八時）が近付くにつれ、お客の姿は減っていく。長居を詫《わ》びて二階の侍が去り、入れ込み座敷のお客もまばらになった。

「旦那《だんな》さん」

老人の相手をしていた芳が、強張《こわば》った表情で調理場へ戻り、懐紙に包んだものを種市に差し出した。

「お客さんから料理人へ心付けを頂戴《ちょうだい》したんだすが……」

どれ、と種市が受け取って開くと、一両小判が三枚。ぎょっと目を剝《む》く店主に、芳は澪を気遣いながら、

「店終いのあとで、料理人と少し話がしたい、と言わはるんだす。何や、澪のことをご存じのようだした」

と、告げた。

種市は小判を手に、難しい顔をしている。

「何か訳がありそうだな」

お澪坊、あの客に覚えはないのか、と店主から問われて、澪は改めて老人を見た。

「吉原の翁屋さんで、お前《ま》はんのことを聞かはったそうや」

芳に言われて、澪ははっと息を吞み込んだ。

盃を手にした老人の姿が、翁屋の花見の宴《うたげ》の席で見た上客の姿に重なる。それのみ

ではない、皐月三日の火事の際、見世番に背負われて炎を潜る様子も鮮やかに蘇《よみがえ》った。

摂津屋《せっつや》。

そう、確かに翁屋の伝右衛門《でんえもん》がそう呼んでいたお客だ。

澪の顔から血の気《け》が失《う》せたのを見て、種市は、小判を懐紙に包み直す。

「お澪坊は出て来なくていい。こいつぁ俺が返してくるぜ」

言い置いて座敷へ向かう主《あるじ》の着物の袖を、澪は咄嗟《とっさ》に捕まえた。


「ほう、二階はこうなっているのですか」

東端の「山椒《さんしょう》の間」に通された摂津屋は、珍しげに室内をぐるりと見回した。

「なるほど、これなら込み入った話もゆっくりと出来そうだ」

澪は下座に座ると、畳にそっと懐紙を置き、老人の前へと滑《すべ》らせた。

「こちらはどうぞお戻しくださいませ」

摂津屋は懐紙に手を伸ばすことなく、ただじっと目線を落としたまま、口を開いた。

「あさひ太夫《だゆう》とお前さんの関わりを知りたい」

あさひ太夫、と繰り返し、澪は膝行《しっこう》して摂津屋に迫った。

「野……あさひ太夫はどうされていますか？　臥《ふ》せっておられるのではないですか？」

又次に抱かれて火の壁を潜り抜けてきた姿、その髪を撫でた時の感触を思い返し、澪はわなわなと身を震わせる。

「摂津屋さま、どうか教えてください。あさひ太夫は、太夫は今、どうされて」

摂津屋は暫し無言で、娘の引き攣《つ》った顔を眺めていた。あまりに沈黙が長いように思われて、澪は不吉な予感に怯《おび》える。

「安心なさい。太夫は無事です。少々髪が焼けただけで、目立つ火傷《やけど》もない」

娘が心底、太夫の身を案じているのを悟り、摂津屋は安心させるようにその顔を覗き見た。

火事の衝撃があまりに大きく、暫くは物も食べず、口もきかず、臥せってばかりだった。この頃になって漸く、食事を摂るようになった、と聞かされて、澪は両手で顔を覆《おお》った。

野江ちゃん、良かった。

友の近況を知り、安堵で涙が噴き出して止められない。

「今度は私の問いに答えてほしい。お前さんと太夫の関わりは？」

摂津屋は娘の肩を揺さ振って問いを重ねる。

「あの時、お前さんは太夫のことを、確か『のえ』と呼んでいた。太夫は、大坂の生まれ育ち。もしやお前さんは大坂での知り合いか？　『のえ』というのが太夫の本当の名か？」

「太夫は」

澪は瞼《まぶた》を手の甲で拭うと、老人を見つめた。

「太夫は何か話しておられるのですか？」

いや、と摂津屋は顔を歪《ゆが》めた。

「何も話さない。大坂の水害で孤児になった、というのを聞き出したものの、それ以外、太夫は自身の身の上を全く明かさないのだよ」

それなら、と澪は再び溢れ出た涙を拭うこともせずに応えた。

「太夫は自《みずか》らのお考えで、身の上を伏せておられるに違いありません。それを私が勝手にお話しすることは出来ません」

どうぞお許しください、と澪は畳に両の手をついた。

摂津屋は、ううむ、と唸《うな》り声を洩らす。

「ならば、もうひとつ。こちらは答えてもらわねばなりません。翁屋の料理番、又次のことだ」

又次さん、と繰り返し、澪は顔を上げて摂津屋を見た。摂津屋は娘の視線を避け、苦渋《くじゅう》に満ちた声で続ける。

「あの時……あの火事の時だ。又次はあさひ太夫を助けて戻り、お前さんの傍《かたわ》らで事《こと》切《き》れた」

行灯《あんどん》を点《とも》した薄暗い一室が炎で包まれる幻を、澪は見ていた。ひとびとの悲鳴や怒声、一帯を覆う煙に異臭、ありとあらゆる負の記憶が蘇って息をすることも出来ない。澪は両の膝を握り締め、恐怖に必死で耐えた。

「今わの際《きわ》に、又次はこう言った」

地の底から、摂津屋の声が響く。

「頼む、太夫をあんたの手で……。確かにそう言っていた」

——澪さん、太夫を……

頼む、太夫を、あんたの……あんたの手で……

又次の声が生々しく耳の奥に帰って来る。

摂津屋は手を伸ばして澪の両の腕を摑《つか》み、激しく揺さ振った。

「あれはどういう意味ですか。お前さんの手で、太夫をどうしろと言うのか」

「堪忍してください」

澪は辛《かろ》うじてそう答えると、摂津屋の腕から逃れた。

「私からは何もお話し出来ません」

深くお辞儀をして部屋を去ろうとする澪の背を、摂津屋の声が追う。

「あの時、私はこれを取りに火の中を戻ったのだ、太夫の制止も振り切って」

思わず振り返った澪に、摂津屋が懐《ふところ》から取り出した守り袋を示した。

「中に、娘の遺髪が入っている。まだ、ほんの四つ。先妻が亡くなり、後添《のちぞ》いとの間に授《さず》かった、ただひとりの娘だった。可愛《かわい》い盛りに逝《い》ってしまったが、生きていれば、恐らくは太夫と同じくらいになる」

声に深い悲しみが宿っていた。

迷いつつも、澪は両の膝を折り、座り直す。

「常は肌身離さぬものを、あの日に限って、羽織の袂《たもと》に入れて、そのまま脱いで忘れていた。皆が火の中を逃げる際、取りに戻ったりしなければ、太夫をあんな目に遭《あ》わせることも、又次が死ぬこともなかった」

あたら若い命を、と摂津屋は膝に置いた手を固く握り締める。

澪は言葉も見つからぬまま、戦慄《わなな》く両の掌を合わせた。摂津屋は、そんな澪を見て、口調を改める。

「渋る翁屋の口を割らせ、お前さんに会いに来たのは、又次の最期の言葉の意味を知りたかったからですよ。又次は、言わば私の命の恩人だ。何を願いながら死んでいったか、私は知らねばならないのです」

「お許しください」

澪は再び手を畳に置いて、額を擦り付けた。

「あれは又次さんと私だけの約束事。仏になられたかたとの約束事です、どうぞ暴《あば》き立てるような真似《まね》はなさらないでください」

澪の返答に、摂津屋はむっつりと腕を組む。永遠に続くかと思われる沈黙は、しかし唐突に破られた。老人は、やれやれ、と頭を振り、ゆっくりと立ち上がった。

「強情なひとだ。ならば、私は私なりに調べさせてもらいますよ」

襖《ふすま》の閉じる音に、澪は漸く顔を上げた。

思いがけない出来事に暫し放心してしまい、ただぼんやりと階段の軋《きし》む音を聞いていた。ふと見れば、畳には懐紙が置かれたままになっている。

澪は三両を包んだ懐紙を摑むと、慌てて部屋を飛び出し、摂津屋を追った。種市と芳に見送られ、駕籠に乗り込むばかりの摂津屋を必死で呼び止める。

「お待ちください、これを」

差し出された懐紙に目を落とし、摂津屋はほろ苦く笑った。

「強情なひとだ」

それを受け取ると懐に捻《ね》じ込み、駕籠のひととなった。ずっと表で待機していたのだろう、手代《てだい》風の男がふたり、それに用心棒と思しき二本挿しが同じくふたり、駕籠の脇に控えた。

蛤《はまぐり》の形に似た月が、俎橋を行く駕籠を照らしている。澪は種市と芳に挟まれて、それを見送っていた。種市が躊躇《ためら》いがちに澪に向かい、何か話しかけようとした時だ。

「おい、一体どうしたことか」

背後からふいにそんな声がかかって、三人はぎょっと振り返る。

戯作者清右衛門と版元の坂村堂が、提灯《ちょうちん》を手に立っていた。

「何だよぅ、坂村堂の旦那、清右衛門先生、年寄りの肝《きも》を冷やさねぇでくだせぇよ」

種市が恨めしい声で言うと、坂村堂は、しょぼしょぼと泥鰌髭《どじょうひげ》を撫でながら詫びた。

「済みません。清右衛門先生が、どうしてもつる家で一杯やりたいと仰《おっしゃ》って」

もう商《あきな》いを終えた刻限だから、と言っても無駄でして、と弱り顔になっている。

「ええい、そんなことはどうでも良い」

清右衛門は種市を突き飛ばし、澪に迫った。

「今のは御用商人の摂津屋ではないか。世に名高い札差《ふださし》、摂津屋助五《すけご》郎《ろう》ではないのか。

さっさと答えよ」

まくしたてる戯作者を前に、つる家の店主と奉公人は戸惑《とまど》って互いの顔を見る。

世に名高い、と言われても、札差などという生業《なりわい》は庶民の暮らしには関わりがない。

その方面に心が向かないので、摂津屋助五郎の名も耳に残ってはいなかった。

「全く、揃いも揃って大馬鹿者どもが」

よほど我慢がならないのか、清右衛門は苛々《いらいら》と地団駄《じだんだ》を踏んでいる。

「清酒醸造から札差に転じ、今や巨万の富を得た、と言われる摂津屋が何故《なにゆえ》、かように粗末で貧乏臭い店に足を運ぶのか」

「粗末で貧乏臭い店で悪うござんしたね」

種市が臍《へそ》を曲げて、そっぽを向いた。

まあまあ、と坂村堂が清右衛門を背後に庇《かば》い、澪に向かった。

「摂津屋さんの耳にまで、澪さんの料理の評判が届いたのでしょう。素晴らしいことです」

いいえ、と澪は首を横に振る。その場の全員が、じっと澪の次の言葉を待っていた。

何も話さぬわけにはいかず、しかし何処まで話せば良いのか、迷いつつ澪は唇を開いた。

「又次さんのことを尋ねて来られたのです。その……自分のために又次さんを火事に巻き込んでしまった、と仰って」

「自分のために火事に……」

種市は低い声で繰り返し、何かを思い出すように右の掌を額に押し当てた。やがて、ああっ、と声が洩れ、よろよろと二、三歩、後ろへ下がる。

「もしや、あの時の……。吉原の火事の時、翁屋で助けられた、あの爺《じい》さんか」

何、と清右衛門は片腕を伸ばし、種市の胸倉を捉《とら》えた。

「それはどういうことか」

「くく、苦しい」

ぎゅうぎゅうと締め上げられて、種市は悲鳴を上げる。だが、清右衛門はその手を緩《ゆる》めない。

「又次はただ焼け死んだのではないのだな。摂津屋がそこに噛んでおるのか。詳《くわ》しく話せ」

清右衛門先生、いけません、と坂村堂が清右衛門を種市から引き離した。

「坂村堂、手を放せ」

戯作者は版元の腕を払うと、射抜く眼差しを澪に向けた。娘に答える意思のないことを読み解くと、提灯の火に視線を落とし、じっと考え込んだ。やがて、ふっとその頬が緩む。

「なるほどな、粗方《あらかた》、そういうことか」

清右衛門はそう洩らし、くくっと肩を揺らした。笑いの波が戯作者を呑み込み、天を仰いで呵呵大笑《かかたいしょう》する。

「虎《とら》は死して皮を留《とど》む、と言うが、翁屋の料理番も大した皮をこの世に留めたものだ」

ああ愉快、愉快、と笑いながら清右衛門は九段坂を戻り始める。

残された四人は、戯作者の笑いの意味がわからず、ただ唖然《あぜん》と立ち竦《すく》むばかりだ。

板壁の穴から、月の光が幾筋も射し込み、蚊帳《かや》の中を仄《ほの》かに青く照らしている。蒸し暑い夜なのだが、目に映る蚊帳の光景は、深い水の底を思わせた。微かに、木戸番の打つ拍子木の音が聞こえる。眠れないまま、刻が過ぎていた。ぶーん、ぶーん、と耳もとで嫌な羽鳴《はな》りがする。澪は夜着《よぎ》から手を出すと、二、三度、ぴしゃりと自らの頬を打った。

「蚊ぁが入り込んでしもたんだすなぁ」

やはり寝付かれぬのだろう、芳が半身を起こした。

「私もえらい嚙まれてしもた」

痒《かゆ》そうに腕を掻《か》く芳の様子に、澪は、さっと蚊帳を抜け、下駄を引っ掛けて表へと出た。

南の低い空に、豊年星《ほうねんぼし》が商人星《あきんどぼし》を従えて浮かんでいる。月影のもと、目を凝《こ》らせば井戸端の柵に朝顔が蔓《つる》を伸ばしていた。ごめんね、と小さく詫びて、澪は葉を二枚ほど摘《つ》んだ。指先で揉《も》みながら、蚊帳の中へと戻る。

「ご寮《りょん》さん、腕を」

芳の腕を取り、朝顔の葉の汁を塗りつけた。

おおきに、と芳は柔らかく頷く。

「えらいもんだすなあ、痒いのが引きました」

「今年は朝顔の栽培が流行《はや》っているみたいなので、これからの季節は助かりますね」

そんな遣《や》り取《と》りを終えると、会話は途切れた。互いに身体を横たえたところで、芳が、澪、と低く呼びかける。

「摂津屋さんと、ほんまはどないな遣り取りがあったのか、お前《ま》はんから話してくれるまで、私は何も聞かん、と決めてるんだす」

ただ、と芳は手を差し伸べて、澪の腕を優しく撫でた。

「ただ、苦界《くがい》に身を沈めたひとを思うあまり、お前はんが何ぞ無茶をせんか、そればかりが気懸《きが》かりだすのや」

何時《いつ》の日か天満一兆庵を再建し、料理でひとを呼んで身請《みう》け銭を作り、野江を身請けする——澪のそんな望みを、芳は知らない。

澪は掠《かす》れた声で、大丈夫です、とだけ応えた。

無理にでも眠ろうと、澪はぎゅっと目を瞑る。瞼の裏に、呵呵大笑する清右衛門の姿が映った。あの笑いと、そして言葉の意味は何なのだろう。又次の死に責めを感じて、摂津屋が何かする、というのか。

いや、それはない、と澪は頭を振った。もとより摂津屋は野江の身請け候補のひとりで、すでに四千両を拠出している。今更《いまさら》どうこうする立場ではないのだ。それに第一、澪があさひ太夫の身請けを考えているなど、思いも及ばないだろう。

吉原廓の遊女の年季は二十七歳の年の暮れまで、と聞いたことがある。だとすれば、野江の年季は残り五年。

「五年のうちに……」

どうすれば、又次との約束を果たせるのか。澪は胸が苦しくなり、そっと寝返りを打った。

東の空にまだ朝焼けの名残《なご》りがあった。

寝不足の目をしょぼしょぼさせて、金沢町を抜け、旅籠《はたご》町を通る。陽は未《いま》だ低い位置にあるものの、じきに熱い矢となってこちらの肌を射るだろう。澪は額に浮いた汗を押さえて、先を急いだ。

「あら」

向こうから歩いてくる人物を認めて、澪は立ち止まる。

往診の帰りか、重そうな薬箱を下げた、医師の源斉《げんさい》だった。

源斉先生、と呼び止めようとして、澪は留まった。

源斉の表情があまりに暗かったことと、物思いに沈むその邪魔をしたくなかったがゆえであった。医師の視野に入らぬように、そっと道の端に移る。案の定、源斉は澪に気付くことなく擦れ違い、そのまま診療所の方角へと消えた。常の穏やかで温かな源斉の様子を思い、澪は言いようのない不安を覚える。嫌な予感は、つる家へと歩みを進める中で、確かなものとなった。

まず神田仲町で一軒、次に神田花房《はなぶさ》町で一軒、弔いを出す家を見つけた。早桶《はやおけ》、と呼ばれる粗末な座棺《ざかん》は至極《しごく》小さくて、中に納められた亡骸《なきがら》は子供と知れた。澪と同い年くらいの若い親が、早桶に取り縋《すが》って泣く姿は、遠目にも辛くて、正視することが出来なかった。さらに神保小路《じんぼうこうじ》で葬列と擦れ違い、これは尋常ではない、と澪は震え上がる。坂村堂が話していた通り、疫痢が江戸の子供たちに襲いかかっているのだ。

疫痢は最初に熱が出て、喉《のど》の渇《かわ》きを訴え、腹を下す。痙攣《けいれん》を起こし、あっと言う間に意識を失い、息を引き取ってしまう。あまりの急変ゆえに「疾風」と呼ばれ、七つまでの子供が罹患《りかん》すれば助かることは難しい。

「太一の通う手習い所でも、一番小さい子が昨夜、疾風で亡くなったんですよ」

つる家の調理場で、おりょうが深々と溜息《ためいき》をついた。

「同じ命定《いのちさだ》めでも、麻疹《はしか》はまだ看病なり何なりする刻があるけれど、疾風はそれも叶《かな》わないんだよ。あんな惨《むご》い病《やまい》はないかも知れない」

そうですねぇ、とりうも歯のない口を窄《すぼ》めて頷いてみせる。

「この頃は特に、神も仏もない、と思うことばかりですからね」

りうのひと言が又次の死を思い起こさせて、その場に居た全員が黙り込んだ。

澪から出刃包丁の扱いを習っていたふきが、洟を啜り始める。済みません、と澪に詫びて、少女は包丁を放すと勝手口から外へ出て行った。様子を見ずとも、井戸端に蹲《うずくま》って泣いているのが察せられて、皆、切なさに口を噤《つぐ》む。

「まだ満中陰《まんちゅういん》も済んじゃあいねぇし、無理もねぇよな」

店主は呻《うめ》いて首を振った。

「悲しみに区切りをつけるんは難しおます」

独り言のように、芳がぽつりと洩らした。

翌、水無月十五日は山王権現祭《さんのうごんげん》で、例年通り、つる家は商いを休んだ。その日は種市のひとり娘、おつるの祥月《しょうつき》命日なので、澪と芳はふきとともに墓参に同行した。

上野宗源寺《そうげんじ》にあるおつるの墓には、墓石代わりか、両手を合わせた優しい姿の地蔵菩薩《ぼさつ》の石仏が据えてある。長く首《こうべ》を垂《た》れて祈りを終えると、種市は、誰に聞かせるでもなく、ぼそりと呟いた。

「又さんの満中陰が済む前に、住職に預かってもらっている遺骨替わりの灰を、この墓に納めようと思うのさ」

おつるの奴ぁ、急に婿《むこ》が来て驚くだろうかなあ、と種市は鼻声で結んだ。

上野宗源寺を出る頃、通り雨に見舞われた。庫裏《くり》で傘《かさ》を二本借りて外へ出る。又次を思い、終始泣き止《や》まないふきの肩をそっと抱き、芳が傘を差しかけた。澪は種市とともにひとつ傘に収まる。

激しい雨が傘を鳴らす。その音を聞きながら、澪は種市の方へと傘を傾けた。

途中、種市の歩みが遅くなる。歩調を合わせて、自然、澪もゆっくり歩く。そのうち、芳たちとの間に距離が開いた。

「死んだら四十九日の間はこの世を彷徨《さまよ》うって言うが、又さんは俺の夢にも出てきちゃくれねぇよ。りうさんの台詞《せりふ》じゃねぇが、良い男ってのはつれないもんだな」

澪は黙って、店主の話に耳を傾ける。

お澪坊、と種市は澪の名を呼び、頼みがあるんだが、と続けた。

「来月は又さんの初盆だ。亡くなって初めて現世に戻ってくる、てぇ大事な初盆さね。又さんに相応《ふさわ》しい膳を作っちゃあもらえまいか。それを供養《くよう》にしたいのさ」

種市の視線が、前を行くふきの小さな背中に注がれている。又次を喪《うしな》った悲しみに何時までも溺《おぼ》れているわけにはいかない。供養の膳を囲み、又次の思い出を皆で分ち合うことで、悲しみを乗り越える糧《かて》としたい——言葉にしない店主の思いが、澪の胸に沁みた。

はい、旦那さん、と澪は頷いてみせる。

「初めて帰る又次さんに喜んで頂けるような、心尽くしのお膳を用意します」

初めての「三方よしの日」に、七輪で焼いた秋刀魚《さんま》。坂村堂を感嘆させた、鮪《まぐろ》の浅草海苔《のり》巻き。腕によりをかけて薄く切った初鰹《はつがつお》、等々。思えば、又次は実に魚の似合う男だった。

例えばこの時期なら、風干しの鱚《きす》をさっと火取《ひど》ったもの、鱸《すずき》の潮汁《うしおじる》、車海老《くるまえび》の串焼きといった具合に、魚を用いれば、又次に供する膳を考え出すことはさほど難しくない。けれど、初盆に供するならば、生臭《なまぐさ》ものは避けねばならない。

さて、どうしたものか。

つる家の調理場で、鱚を開くふきの手もとを見守りながら、澪は考え込んだ。

「澪姉さん」

次はどうしましょう、とふきに呼びかけられて、澪は我に返る。

俎板には鱚が美しく三枚に卸されていた。短い期間ではあったが、又次に仕込まれた包丁捌《さば》きは少女の中に生きている。澪は目もとを和《やわ》らげて、塩壺を手に取った。

「今日は酢締めにしましょう」

酢締め、と繰り返し、ふきは不思議そうに塩壺を見ている。

「酢締めと言っても、いきなり酢につけるわけではないの。まずは塩をして余分な水や臭みを抜く、という下拵えをしておくのよ」

そう教えて、澪は水に塩を溶く。

下拵えの塩の扱いが料理の味を分ける、と天満一兆庵の主、嘉兵衛《かへえ》に教わった。例えば鱚のように淡白な魚を酢締めする場合は、下拵えに、水に塩を解いた「立て塩」を使う。鮮度に合わせて塩の分量を加減するのだが、これは経験を積み、自分で身に着けていくほかはない。

「塩のあてかたにも、紙塩、立て塩、振り塩、撒《ま》き塩、と色々あるの。料理の味を決めるにも塩はとても大切で、例えば『塩梅《あんばい》』という言葉は、塩と梅酢が出会うと双方の味が丸くなり、味わいが増すことから来ているのよ」

澪が熱心にふきに教える様子を、店主が土間から覗いている。その店主の傍らにりうが来て、耳もとで囁く。

「そろそろふきちゃんを下足番から解放して、澪さんの傍につけた方が良いんじゃないですかねぇ。見て覚えることも多いと思いますよ」

りうに言われて、そうさなあ、と種市は考え込んだ。

「おいでなさいまし」

お客を迎える声が、随分としわがれている。

昼餉時、つる家の暖簾を潜ったお客たちは、下足番が替わっていることに驚いた。

「おい、何で妖怪《ようかい》……もとい、つる家の看板娘の婆さんがここに居るんだよ」

おやまあ、とりうは歯のない口をわざと大きく開けてみせる。その様子に、通りがかりの子供は火がついたように泣き始めた。

「やっぱり、ご寮さんにやってもらう方が良かったぜ。あれじゃあ、お客が逃げちまうよ」

種市が頭を抱えた時だった。

りうは表へ出て、軽く手を叩きながら節を取り、

「土用の今日はつる家名物、う尽くしですよ。梅土佐豆腐は熱々うまうま、中の梅干しはつる家の自家製、食べれば滋養になりますよ」

と、歌うように献立を口にした。

こいつぁ堪らねぇ、と唐突に空腹を覚えた通行人たちは、老女の捲《めく》った暖簾の奥へと吸い込まれていく。

「今日は常よりもひとが多いようですねぇ」

昼餉時を過ぎてつる家に現れた年寄りが、座敷を見渡して呟いた。登龍楼《とりゅうろう》との競い

合いの際に、昆布《こんぶ》を差し入れてくれたご隠居だった。

へい、と種市は相好《そうごう》を崩して応える。

「新しい下足番……大分くたびれてますがね、その下足番が、思いのほか宣伝上手でして、初めてのお客にも恵まれました」

そうですか、とご隠居は鷹揚《おうよう》に頷いた。

「このところ町なかでも明るい話を聞かないし、この店の皆さんも皐月の頃から少し萎《しお》れてみえましたから、安心しました」

ふたりの遣り取りを聞いていた芳は、調理場へ注文を通すついでに、澪に、

「昆布のご隠居さまが来はりましたで。手が空いたらご挨拶《あいさつ》させてもろたらどないだすか」

と、耳打ちした。

その後も注文は続き、澪が漸く入れ込み座敷に顔を出せた時には、老人はとうに食事を終えてお茶を啜っているところだった。

「今日も美味しかったよ」

澪を認めて、ご隠居は目を細める。

「土用の鰻《うなぎ》は精がつくと言うが、この齢《とし》になると、つる家の『う尽くし』の方が胃の

腑への収まり具合も良いからねえ」

「ご隠居さまは、昆布締めがお好きでしたね。やはりあっさりしたものがお好みでしょうか」

お茶を注ぎ終えて澪が話しかけると、老人は、いやいや、と頭を振った。

「昆布や干し椎茸《しいたけ》、といった乾物が好きなのだよ。生のものと違い、無骨でとっつきは悪いが、戻せば素晴らしい出汁《だし》を生み、奥歯で嚙み締めれば、信じ難《がた》いほど豊かで滋味《じみ》に溢れている」

ひともかく在《あ》りたいものですよ、とご隠居は笑った。

足の悪いご隠居を表まで見送って、その後ろ姿を眺めながら、澪は先の台詞を胸の中で反芻《はんすう》する。

無骨でとっつきは悪いが、信じ難いほど豊かで滋味に溢れている……。

確かにそういうひとを知っていた、と澪は潤《うる》み始めた瞳を空へと向けた。

日本橋、伊勢町。この地で乾物商を営む大坂屋《おおさかや》は、その名の通り、店主も奉公人も全員が大坂の出である。大暑《たいしょ》を迎えた早朝、つる家の料理人はまだ店開け前の大坂屋に居た。

「乾物を使って精進料理を……」

澪の話を聞き終えた顔馴染みの手代は、大きく頷いてみせる。

「それはよろしおますなあ。乾物は主役にはなれん、大抵は脇役だすが、その複雑な味わいは、料理に奥行きを与えますのや。乾物を主役に据えることで、生臭ものを使わんかて、満足のいくお膳に仕上げられますやろ」

「ひとつ、教えて頂きたいのですが」

澪は前置きの上で、以前より疑問に思っていたことを口にした。

「大坂ではよく食べる高野《こうや》豆腐を、この江戸では見ないのです。身欠《みが》き鰊《にしん》同様、江戸にはないものなのでしょうか」

大坂屋から以前、「凍《し》み豆腐」というのを分けてもらったことはあるが、昔、郷里で馴染んだ高野豆腐とは微妙に違うように思うのだ。

澪の話を聞き終えると、ああ、それは、と手代は口もとを緩めた。小僧に命じて藁《わら》につないだものを持って来させる。

「これは……」

その品を持たせてもらい、澪は目を見張った。黄色く乾いたものは、確かに以前、大坂屋から入手した凍み豆腐だ。高野豆腐に比べて厚みが薄い。それに、こんな風に幾つもの凍み豆腐を藁で繋《つな》いだ姿を見るのは初めてだった。

「甲州から届いた凍み豆腐だす。私らは地元での呼び方に倣《なら》って『凍み豆腐』と呼びますが、江戸ではこれを『氷豆腐』言うんだす。いずれにせよ、この大坂屋でも滅多と売れん品だす」

豆腐を薄く切り、一夜だけ屋外に出して凍らせ、あとは軒下に吊るして自然に乾燥させて仕上げるのだという。

「紀州の高野山《こうやさん》で作られる高野豆腐は、確か、乾燥には炭を使う、と聞いています」

澪の言葉に、さいだす、と手代は応える。

「私はどちらも試《ため》してみましたが、高野豆腐の方が僅かに柔らかい程度で、味わい自体はさほど違わんように思いますなあ。ただ、どちらにしても、残念ながら江戸っ子の口には合わんようだす」

最後は溜息とともに吐き出して、番頭は肩を落とした。

江戸で言う「氷豆腐」を桶の底に並べる。沸騰《ふっとう》した湯に水を差し、少し温度を下げたものを用意したら、先の氷豆腐にたっぷりと注ぎ、平皿を重石《おもし》にして暫《しば》し置く。ひっくり返して、また暫し置いて、芯がなくなるまでふっくらと戻す。あとは濁《にご》らなくなるまで幾度も水を替え、形を崩さないように雑味を揉みだす。

「豆腐が黄色いってのが、俺ぁそもそも許せねぇんだがなぁ」

澪の手もとを見つめて、種市がぶつぶつ零《こぼ》している。

「凍らせると黄色くなるんですよ。見た目で嫌わないでください」

両の眉を下げて、澪は下拵《したごしら》えの済んだ氷豆腐を出汁で煮含《にふく》めていく。

大坂で言う「高野の炊いたん」、即《すなわ》ち、少し甘めの出汁《だし》をたっぷりと吸った高野豆腐ほど優《やさ》しい味わいのものはない、と澪は思っている。氷豆腐とてそれは変わりないだろう。

何より豆腐が乾物になる、という不思議。その滋味豊かな味わいを知れば、きっと虜《とりこ》になる。氷豆腐を食べたことのない江戸っ子にこそ、その味わいを知ってもらいたい、と澪は心から願った。

「どれ」

器に装われた氷豆腐の含め煮に、店主は箸を伸ばす。りうやおりょう、芳にふきもこれに倣う。

「ああ、懐かしい味だす」

そう言って目を細めたのは芳のみで、店主以下奉公人らは、あらぬ方を見たり、視線を泳がせたりして、口の中のものを何とか飲み下した。

「生麩《なまふ》の時も思ったんだけどねぇ」

おりょうが言い辛そうに口を開いた。

「噛んだ時の、何とも言えない気持ち悪……いえ、落ち着きの無さっていうか。こういう噛み心地《ごこち》のものを食べたことがないので、どうにも言いようがないんだよ」

そうとも、と店主も同意する。

「生麩はぐにゃぐにゃだったが、氷豆腐ってなあ、きしきしした噛み心地だな。噛み続けてると背中がもぞもぞしてきやがる」

「歯がないと、こういう中途半端に弾力のあるものは手強《てごわ》いですねぇ」

入れ歯でもないと無理ですよ、とりうは口を窄めてみせた。

やはり、と澪は唇をきゅっと結ぶ。予想はしていたけれども、こうまで拒《こば》まれるとは思わなかった。大坂で馴染んだ調理方法では、江戸っ子の胃袋を掴むことは難しい。何とか別の料理を考えてみるしかない、と澪は小さく息を吐いた。

鉄鍋でじりじりと煎《い》られるのに似た酷暑が続く中で、水面《みなも》にあって清々《すがすが》しい薄紅の花弁を広げる蓮《はす》の花は、見る者に一服の清涼をもたらす。ここ不忍池《しのばずのいけ》にも、涼を求めて蓮見の客が大勢足を運んでいた。

上野宗源寺での又次の満中陰の法要のあと、澪は店主に断って、ひとり不忍池へと足を延ばした。少し頭を冷やしておきたかった。

又次の初盆の膳は干し椎茸や干瓢《かんぴょう》、昆布などの乾物をふんだんに取り入れ、旬《しゅん》の青物《あお もの》と合わせることは決めている。何とかして氷豆腐も加えたいのだが、調理法を考えあぐねていた。

池に架かる天龍橋《てんりゅう》の低い欄干に手を置いて、澪はぼんやりと水面の蓮を眺めた。その背後を、弁財天へ参る者、戻る者たちが三々五々、通り過ぎていく。

「あっ」

微《かす》かに息を呑む声が聞こえて、澪は後ろを振り返った。薄浅黄《あさぎ》の涼しげな上布《じょうふ》を纏《まと》った武家の妻女が、その場に棒立ちになっている。

「早帆《さほ》さま」

澪はその名を呼んだきり、絶句した。澪のかつての想《おも》いびと、小野寺《おのでら》数馬《かずま》の実妹、早帆だったのである。ふたりは暫《しばら》くは言葉もなく、互いを呆然《ぼうぜん》と見合った。

先に平静を取り戻したのは、早帆の方だった。早帆はお付きの侍女に控えているよう命じて、澪のもとへと歩み寄る。

った。

「澪さん、少し痩《や》せられましたね」

気まずい再会のはずが、早帆の口から最初に洩《も》れたのは、真実、澪を案じる言葉だった。

「早帆さまも随分とお痩せになられました」

自分よりも早帆の方が遥《はる》かに面窶《おもやつ》れして見えて、澪の声に不安が滲《にじ》む。早帆は、ふっと視線を澪から池の蓮へと転じ、ひと呼吸置いて、ぽつりと告げた。

「母が亡くなりました」

澪は思わず両の手で唇を覆った。脳裡《のうり》に、苦しげに喘鳴《ぜんめい》を放っていた病床の里津《りつ》の姿が過《よぎ》る。

満開の蓮に潤む瞳を向けたまま、早帆は揺れる声で続けた。

「如月《きさらぎ》の末に兄が妻《めと》を娶り、それで安堵したのでしょう、弥生《やよい》十日に身罷《みまか》りました。先日、百か日の法要を済ませたところです」

今日は墓参の帰り、と聞き、澪は小さな声でお悔やみを伝えた。

互いの胸に去来するものがあり、ふたりは言葉もなく橋に並び、薄紅の羽衣《はごろも》と見違うほどの清浄な花に見入った。

「こんな話をすべきかどうか……ただ……」

躊躇《ためら》いがちに、早帆は唇を開いた。

「兄嫁は齢《よわい》十七ながら、これまで生家の手持ちの駒《こま》として、おんなの幸せとは遠いところで生きてきたのです。我が母もそれを理解し、慈《いつく》しんでおりました。兄もまた、澪さんに抱いたような思慕ではないにせよ、夫婦として幸せになる道を模索しているように思います」

早帆の言葉を聞き終えて、澪は自らに問いかける。

選ばなかった道に、心を残していないか——自身の狭量や身勝手を自覚しているからこそ、澪は自身に深く問うた。

残していない——心の声が速《すみ》やかに答える。

枝分かれした道のひとつを自ら選んだ旅人は、選ばなかった道がどうだったか、思い描《えが》いたりはしない。自身が選んだ道の先を信じて、ひたすら歩み続けるしかないのだ。澪も、そして、おそらくは小野寺数馬も。

澪は両の瞳を閉じて、じっと自身の胸の底を窺《うかが》う。そこには、嫉妬《しっと》や焦燥《しょうそう》などの昏《くら》い焔《ほのお》は見えず、ただ茫洋《ぼうよう》とした、色の無い哀《かな》しみが広がっていた。

いいえ、と澪は小さく頭を振る。

自分は哀しむ立場にすらない。想いびとだった人に全《すべ》て背負わせ、周囲の誤解を払うこともなかったのだ。澪は苦い息を吐くと、右の掌を胸もとにそっと置いた。同じ胸に抱くならば、哀しみではなく、祈りでありたい。想いびとだった人の幸せを心から祈れる者でありたい。

澪は両の手を揃えて、早帆にゆっくりと一礼した。

――どうぞ末永くお幸せに

小野寺家の縁組を寿《ことほ》ぐ澪の心の祈りが届いたのか、早帆はそっと瞼を拭う。

「来月は母の初盆です」

澪さんに教わった煮浸《にびた》しを作ってお供えしますね、との言葉を残し、早帆は侍女とともに去った。

何の後ろ盾《だて》もない料理人の自分を、息子の嫁に、と願ってくれたひと。去りゆく早帆の背中にそのひとの面影を重ねて、澪は両の掌を合わせ、深々と首を垂れた。

「これまた得体の知れねぇものを」

商いを終えたつる家の調理場で、店主の種市は、気味悪そうに眉を顰《ひそ》める。漉《す》き返し紙を敷いた皿の上には奇妙なものが載っていた。

「お澪坊、一体こりゃあ何だよぅ」

狐色のぎとぎとした四角いものを指で突《つつ》いて、店主は料理人に上目遣《うわめづか》いで問う。

「氷豆腐を素揚《すあ》げしてみたんです」

答えて澪は、情けなさそうに眉を下げた。

豆腐を油揚げにする要領で、戻して絞った氷豆腐を胡麻《ごま》油で揚げてみたのだ。だが、水気を絞った氷豆腐は、際限なく油をその身に吸い込んで、ずっしりと重い。

「何だか俺ぁ、食う前から胸焼けしそうだぜ」

種市はそう言いながらも、一片を口に入れた。澪も主を真似る。

嚙み締めると、じゅわっと容赦なく胡麻油が口を占拠して、くどいことこの上ない。店主も料理人も苦悶《くもん》の表情で口の中のものを胃の腑へと落とした。がっくりと両の肩を落とす料理人に、店主は言葉を探して慰める。

「まあその、そうだな、嚙み心地は悪くねぇから、油抜きして使えば良いさ」

澪は無言のまま、頭を振った。

油で揚げて、油を抜く。その手間は惜しまないが、油の無駄が辛かった。

「旦那さん」

戸締まりに回っていたはずのふきが、調理場に駆け込んで来た。

「今、源斉先生が表を通られて、ご寮さんと立ち話をされておられます。診察で忙しくて、夕餉《ゆうげ》もまだだそうです。ご寮さんが旦那さんにお知らせしなさいって」

そいつぁいけねえ、と種市は腰を浮かせる。

「患者のために走り回るのは結構だが、そんなじゃ源斉先生の身体が持たねぇよ。お澪坊、俺用に作ってくれた肴があったろ、あれを用意してくんな」

今、無理にでも引っ張ってくるからよ、と言い置いて、店主は転がるように調理場を出て行った。


飯碗に残る最後のひと粒を箸で摘まみ上げると、源斉は惜しむように口へ運ぶ。一夜干しの鯵、新牛蒡の掻き揚げが載っていた平皿は、二枚ともすでに空になっていた。

調理場の板敷に並んで、澪たちはその旺盛《おうせい》な食欲にほっと安堵する。

「ご馳走《ちそう》さまです。お蔭で疲れが抜けました」

実に美味《おい》しかった、と言って医師は箸を置き、丁寧《ていねい》に頭を下げた。聞けば、このあともまだ往診があるのだという。

「源斉先生、忙しいのはわかるが、食わなきゃ駄目ですぜ。ひとには食い力ってのがあるんだから」

「本当にそうですね、反省します」

源斉は種市に頷《うなず》いてみせると、芳の淹《い》れたお茶に手を伸ばした。

食事をしたことで大分、生気が戻ったけれども、長くこびり付いた疲弊《ひへい》は、医師の横顔に跡を留める。つる家の面々は切ない思いで医師を見守った。

「疾風の野郎は、何時になったら江戸から出て行ってくれるんでしょうかね」

店主の言葉に、医師はお茶を飲む手を止める。

「ひとも、そして医師も、疫病の前では無力です。どうしようもなく、無力なのです。闘う術など何ひとつない」

自身に言い聞かせるような口調だった。

見送りを断る源斉を気遣い、種市は、

「それじゃあお言葉に甘えて、俺たちはあとを片付けますぜ。お澪坊、お前さんは先生を表までお送りしな」

と、料理人を促《うなが》した。

勝手口から表へ回ると、丁度、盆提灯売《ちょうちんう》りが前を通るところだった。ひとつだけ火を入れた盆提灯の蓮の模様が闇《やみ》の中で儚《はかな》げに浮かんでいる。幾つもの長房《ながぶさ》が風に揺れるさまを、澪と源斉は暫し見守っていた。

ふたりの頭上には、南から北にかけて太い帯のような見事な天の川が横たわる。静けさの中で、源斉は溜息とともに零した。

「明日からもう文月《ふづき》。水無月は嵐のうちに過ぎてしまった。幼い命を救うことも出来ず、ただただ、親に臨終を告げるばかりでした。病を治せぬ医師など、実に無力なものです」

源斉先生、と澪は小さく首を振る。

「そんな風に仰らないでください。医師が無力なら、私のような料理人はどうなりますか」

多くの子供が疾風の犠牲になっても、そうした不幸に背中を向け、知らない振りを通して、ただ淡々と、店に足を運ぶお客のためだけに料理を作る。ごく限られた者のためだけに、料理をする。

「料理は、料理人でなくとも出来るのです。けれども患者を診《み》ることが出来るのは、医師だけです」

星影の下、医師は黙って料理人の言葉に耳を傾ける。そのあと、長い沈黙があった。細く尾を引いて星が流れたのを機に、源斉は漸く《ようや》唇を解いた。

「食は、人の天なり。よく味はひを調へ知れる人、大きなる徳とすべし――吉田兼好《よしだけんこう》、という先人の言葉です」

「食は、人の天なり」

言葉を繰り返す澪に、源斉は頷いた。

「そうです。もとになったのは、海の向こうの『帝範《ていはん》』という古い書で、食はひとびとの命を繋ぐ最も大切なもの、という意味です。古来より、食が如何《いか》に大切か、国や場所を問わず、伝承され続けているのです。私は澪さんの料理を口にする度《たび》に、食は人の天、ということを実感するのですよ。あなたの料理は、あなたにしか作れない」

源斉は、俎橋の方へ大きく一歩踏み出した。そして澪を振り返り、温かな声で続ける。

「澪さんのひと言で、目が覚めました。無力を嘆くよりも、医師として揺るがずに居ることの方が余程大事です。その心がけで、私は患者を診ます」

ありがとう、と言い添えると、源斉は確かな足取りで、次の患者のもとへと急ぐ。

「食は、人の天……」

医師の言葉は、料理人として選んだ道を照らす明かりの如《ごと》く、澪の心に響いた。俎橋の向こうに、源斉の姿が消えても、澪は暫くそこに佇《たたず》んでいた。

江戸っ子の自慢のひとつに、「水道水を産湯《うぶゆ》に使う」というのがある。

海を埋め立てて出来た土地のため、地下水は海水を含んで飲料に適さない。そのため、江戸の街の地中には木製の樋《とい》が張り巡らされ、これを通って神田上水や玉川上水が各井戸に供給される仕組みだった。大半の井戸で汲み上げる水は、だから地下水ではなく、水道水なのだ。それゆえ江戸っ子は水と井戸を大切に扱う。

文月七日の七夕《たなばた》は水の祭りで、その前日には総出で江戸中の井戸の水を汲み出し、底を浚《さら》って中を洗い、一年の汚れを落とす。清らかな水に天の川を映すことで、無事に七夕を迎えるのだ。

「これこれ、七夕って言やぁ、これを食わねぇとな」

つる家の調理場で、鍋を覗いて店主が歓声を上げる。

湯の中で白いものが、うねうねと身をくねらせていた。正体は素麺《そうめん》である。

「お澪坊、今年のはちょいと長かねぇか？」

一本、箸で摘まみ上げて、種市は首を傾げた。常は長素麺を六寸（約十八センチ）ほどに手折《たお》って茹《ゆ》でるのだが、箸先のそれは一尺（約三十センチ）はある。

ええ、と澪は頷いた。

「今年は長くしたんです、わざと」

疫病の蔓延《まんえん》に負けぬよう、細く長く、の願いを込めた。

料理人が口にしない思いを、しかし店主は汲み取ったらしく、そうかい、そうかい、と眼を瞬《しばた》いた。

「ふきちゃん、まだ麺が温かいうちは触っては駄目よ。麺に手の匂いが移ってしまうから」

脇の少女に教えながら、澪は茹で上がった素麺を笊に取った。

「さあさ、七夕の今日はつる家の新名物、一尺素麺、一尺素麺ですよ。つる家の一尺素麺を食べて、井戸替えの疲れを落としていってくださいな」

店の表では、朗《ほが》らかにりうがお客を呼んでいる。その声に惹《ひ》かれて、馴染みの者もそうでない者も、足取り軽く暖簾を潜る。

小さな桶の底に、茗荷と胡瓜と南瓜《かぼちゃ》を霰《あられ》に刻んだものをほんの少し。清冷な水を張り、一尺の素麺を天の川に見立てて置く。麺つゆに、薬味は葱《ねぎ》と生姜。別皿に、鯊《はぜ》の天麩羅《てんぷら》を添えた。

「ほほう、こいつぁ面白《おもしれ》えや」

長い素麺を手繰《たぐ》っていたお客が、桶の中を覗く。素麺を引き上げる度、水の中で赤や黄、緑の霰が躍《おど》る。

「子供騙《だま》しみてぇだが、こういうのを家でやると、餓鬼《がき》は喜ぶだろうな」

お客のひとりが洩らした。

それを受けて、別のお客がぽつんと呟く。

「今年は疾風で、この街の小せぇのが沢山、あの世に連れて行かれちまったからなあ」

酷暑の店内が僅かに冷えた。

入れ込み座敷の隅で、背を丸めて素麺を食べていた若い男が、ぼそりと言う。

「俺んとこは五つになる倅《せがれ》がやられちまった。ひとってなぁ業《ごう》が深《ふけ》ぇや。どんなに嘆いても腹は空《す》くんだからな」

連れと思しき隣りの男が、慰めるようにその肩を優しく叩いた。

空《あ》いた膳を下げに来た澪だが、男の剝《む》き出しの悲しみに触れた思いで、すぐには立ち去れない。それに気付いたのか、男はちらりと澪を見て、諦《あきら》めた口調で続けた。

「じきに盂蘭盆会《うらぼんえ》だ。今年が初盆って仏も多いだろうよ。けれど皐月の末に亡くなったから、俺の倅の初盆は来年なのさ。待つ身の一年は長《なげ》ぇな」

寂しいもんよ、と声を絞って、男は箸を持つ手で洟《はな》を啜った。

そのお客を見送ったあと、澪は調理場に戻り、流し台の前でじっと考え込んだ。

今年、自分たちは又次を喪った。早帆は母の里津を喪った。ほかにも大切な誰かを喪ったひとは、この江戸に数多《あまた》いるだろう。先の父親のように、切ない思いで盂蘭盆会を過ごす者もいる。

ふと、澪は十四年前の水害で亡くなった両親を想う。何年経《た》とうと、想う度に懐かしく、恋しく、寂しくて、やはり悲しい。

ひとの生命には限りがあり、どのひとの胸にも、亡くなった誰かの面影《おもかげ》が棲《す》んでいる。だとしたら……。

「旦那さんにお願いしてみよう」

熟考の末に声に出して、澪は心を決めた。

おがら、おがら

お迎えのぉ、お送りのぉ、おがら

哀切を帯びたおがら売りの声が、夜風に乗って勝手口から忍んで来る。

一日の商いを終えたつる家では、芳とふきが座敷を片付け、りうと種市とが澪の用意した夜食の握り飯を旨そうに食べていた。

「盂蘭盆会の三日精進に？」

澪の話を聞き終えて、店主はりうと顔を見合わせた。

はい、と澪は板敷に両の手を置いた。

「又次さんの初盆に用意するお膳と同じものを、つる家の三日精進でも出したいのです。お許し頂けないでしょうか」

つる家のお客にも、大事なひとを偲《しの》んでもらえる膳にしたい。そんな料理人の気持ちを聞いて、老いたふたりは感慨深い面持《おもも》ちになった。

「確かにそうだ」

店主はしみじみと語る。

「生きてる者の胸ん中には、先に逝《い》っちまった誰かが棲んでるもんだぜ。十三日から盂蘭盆会までの丸三日、つる家で誰かを偲んでもらうってのは、良い考えだと俺ぁ思うぜ。なぁ、りうさん」

種市の言葉を受けて、そうですとも、と頷くと、りうは傍らの棚の壺に目をやった。

「又さんだって、その方がきっと嬉しいでしょうよ。つれない男でしたけど、でも、実は料理でひとを喜ばせたい、と真実思っていた料理人でしたからね」

あとの方は涙声になっていた。

藍染め木綿《もめん》に、真っ白な襷《たすき》をきりりと掛けたそのひとの粋《いき》な姿が蘇って、三人は、ただ黙った。

氷豆腐を噛んだ時の、きしきししたのが嫌だ、と店主は言っていた。油で揚げると別の噛み応《ごた》えになるから、考えかた自体は誤りではないと思うのだが。まだ戻していない氷豆腐を触りながら、澪は思案に暮れる。

風を入れるために少し隙間《すきま》を開けた引き戸からは、向かいの伊佐三《いさぞう》とおりょうの鼾《いびき》が交互に聞こえていた。

「澪、あんまり遅いと明日に差支《さしつか》えますで。そろそろ休みなはれ」

蚊帳《かや》の中から芳の声がする。

はい、と応えて、澪は手にした氷豆腐を保管用の瀬戸物の壺に戻した。壺の底に何か粉のようなものが溜まっているのに気付いて、灯明皿《とうみようざら》の火を近付ける。

「ああ、氷豆腐の粉だわ」

乱暴に扱ったつもりはないのだが、壺の中で氷豆腐同士が擦れて、粉が出たのだ。藁で結んだまま吊るしておけば良かったかしら、と澪は両の眉を下げた。

勿体《もったい》ない、と悔やみつつ、粉を指で摘まんで口に含む。

「あ」

澪は、意外な思いで、壺の底に溜まっている粉をもう一度口にした。うどん粉のような味わいだった。

三度、澪は確かめるように舌に載せる。

さほど癖もないし、肌理《きめ》も細かい。

澪の心《しん》の臓《ぞう》が、どくん、と大きく鼓動を打った。

これなら、もしかすると、うどん粉と同じように使えるかも知れない。水で溶くのは無理だとしても、衣にしたり、つなぎにするのはどうだろう。味を付けた氷豆腐にこの粉を叩《はた》いて揚げれば、油が中まで吸い込まれることはないのではないか。

胸の鼓動はますます高まり、澪は自身に落ち着け、落ち着け、と言い聞かせねばならなかった。

文月十三日から盂蘭盆会の十五日までの三日間、鳥獣や魚など命あるものを殺生《せっしょう》せず、決して口にしないことを「三日精進」という。

常日頃は先祖や仏のことを顧《かえり》みる余裕はないが、せめてこの間だけは、と「三日精進」を守る律儀者は多い。これを受けて、つる家でも昨年から三日精進の料理を供するようになっていた。

「今日は婆さん、もとい、看板娘の客引きは無《ね》ぇのか」

昼餉時、つる家の表格子の「三日精進膳」の貼《は》り紙を眺めながら、お客らは暖簾を潜る。

「試作の膳を味見したんですが、何とも胸が一杯で、言葉にならなくてねぇ」

りうはお客の履物《はきもの》を預かって、しおしおと首を振った。

言葉にならない、とはどういうことか。お客は首を傾げつつ、入れ込み座敷へと上がる。

運ばれてきた膳の上には、飯碗と汁椀、それに煮物の器と揚げ物らしきもの。いずれも通常の盛りよりも控えめになっていた。

飯は白飯ではなく、もち米に戻した黒豆を混ぜて蒸してある。焼き麩と結び干瓢の澄まし汁には、青柚子《ゆず》の吸い口。煮物は干し椎茸と冬瓜《とうがん》の含め煮で、色目の良い隠元《いんげん》を添えたものだ。

謎《なぞ》なのが揚げ物で、薄く削《そ》いだ何かを、こんがりと狐色に揚げた一品だった。

「こいつぁ……」

嚙み始めて、誰もが一旦、嚙むのを止《や》める。嚙んで、止める。また嚙んで、また止める。

「この噛み心地と味わい、一体正体は何だ？」

「わからん。こんな食い物、俺ぁ知らねぇ。まるで謎だ」

胡麻油と醤油《しょうゆ》、それに生姜の味がするが、どうにも病み付きになる噛み心地なのだ。

あちこちで、謎だ、謎だ、の声が洩れる。

こいつぁ何だ、とお客に問われ、店主は、

「氷豆腐に下味を付けて、揚げたものなんですがね。衣にちょいと工夫があるんでさぁ。おまけに上に載ってるのは、ありがたや、御師土産《おんしみやげ》の青海苔ですぜ」

と、得意げに答えた。

乾物を多く使った精進膳のため、自然に噛む回数も多くなる。話し声は減り、皆、料理に心を寄せて、黙々と刻をかけて食べた。

「あんたの言ってた意味がわかったぜ」

帰り際、下足番のりうを捉まえて、お客のひとりが、しんみりと告げた。

「どの料理も、噛んでるとじわじわ味が出て、昔の色んなことを思い出しちまう。とうにくたばった親父のこととか、お袋のこととか……」

ありゃあ精進膳ってぇより面影膳だな、と言って鼻を擦った。

夕刻からの三方よしでも、同じ膳で酒を呑むことを望む者が後を絶たず、殊《こと》に氷豆腐を用いた揚げ物は、好評を博した。しかし、誰もその衣の謎を解くことは出来なかった。

「あら」

盂蘭盆会の朝、澪は路地の隅の植木鉢を移動させようとして、そこに素焼きの皿を見つけた。明らかな意思を持って、植木鉢の後ろに隠されていたのだ。見覚えのあるそれは、十三日に迎え火を焚《た》いた時に使った皿だった。

「困った子」

細工をした人物に容易に見当がついて、澪はほろ苦く呟いた。

明日の朝には送り火を焚いて、亡きひとの魂《たましい》をあちらの世界に戻さねばならない。亡くなって初めてこちらに帰った又次を、あちらへ戻したくないのだろう。

困った子、と繰り返して澪は植木鉢をもとの位置に戻す。気を取り直し、店の表へ回るために路地を出た。

「もう誰もこの名で呼んでくれなくなりましたねぇ、旦那さん」

「全く、面白くねぇったら」

表格子の「三日精進膳」と書かれた貼り紙を前に、りうと種市とが話し込んでいる。

「『面影膳』だなんてよぅ、店主の俺が考えるよりも洒落《しゃれ》た名前を付けられちまった。悔しいったらねぇや」

店主の反応に、りうはふぉっふぉと笑った。

又次を喪って初めて聞く、りうの朗らかな笑い声だった。

多くのお客に愛された面影膳を最後に食したのは、文月十五日の商いを終えて板敷に集《つど》ったつる家の面々だった。

又次の座る場所を設《もう》け、又次の膳を置いて、それを店主と奉公人たちが囲む。

「おりょうさんも残れれば良かったんだが」

店主はひと足先に引き上げたおりょうを気遣いつつも、さあ、食おうか、と箸を取った。

もちもちの強飯《こわめし》。滋養の味わいの含め煮。さっぱりと澄まし汁。そして氷豆腐の揚げ物を口にした時、ああ、又次さんの好みそうな味だ、と澪は思い、慈しんで噛み締めた。

「この味は、きっと又さんも気に入りますよ」

わしわしと歯茎《はぐき》で揚げ物を噛みながら、りうは料理人に尋ねる。

「澪さん、そろそろ種明かしをしてくれても良かありませんか？　氷豆腐をどうすれば、こんな味わいのものに出来るんです？」

「戻した氷豆腐に下味を付けてぎゅっと絞ったあと、氷豆腐を衣にして胡麻油で揚げるんです」

「氷豆腐を衣に？」

混乱した表情で、りうは箸先と澪の顔とを交互に見た。

「戻していない氷豆腐を使うんです」

澪は調理台に行って卸し金を取ると、氷豆腐を手に、がしがしと卸してみせる。固そうな氷豆腐は、しかし小気味良いほどさらさらの粉と化した。

「これを衣にしました」

その手もとを見て、りうは暫く言葉が出ない。漸《よう》く《や》、ゆるゆると頭を振ると、驚きました、と掠れた声を洩らした。

「そんなことを、よくまあ思いつきましたねぇ。そりゃあ、これまでだって色々と新しい料理を食べさせてもらいましたが、今度ばかりは感心するどころか、怖いほどですよ」

多分、と澪は手の中の氷豆腐に目を落とす。

「多分、又次さんが助けてくれたんだと思います。そうでないと……」

保管用の瀬戸物の壺の底に、氷豆腐の粉が溜まっていなければ、思い至らなかった。澪にはやはり、又次がどうにかして手を貸してくれた、としか思えなかった。

「又さんらしいぜ」

話を聞き終えて、種市は徳利の酒を湯飲みに注《つ》ぎ、又次の膳に置いた。

「神田御台所町《おだいどころまち》にあったつる家に、とろとろ茶碗蒸しを買いに来たのが最初だったな、又さん。あん時の又さんのひと言で、茶碗蒸しの持ち帰りが出来るようになった」

店主の湯飲みに、芳が静かに酒を注ぐ。

「富三《とみぞう》が私を騙した時、我がことのように怒ってくれはりました。よう切れる刃物のように恐ろしいのは一面だけで、奥には深い深い情を湛《たた》えたおひとだした」

「ご寮さん、あたしにも一杯くださいな」

湯飲みを芳に差し出して、注がれた酒をぐいと飲み干すと、りうは呻いた。

「あたしゃ、亭主が死んだ時より辛かった。又さん、お前さんは心底、良い男でしたよ。本当に惚れ惚れするほどの男振りでしたとも」

堪《こら》えきれなくなったのだろう、ふきは両手で顔を覆って泣きじゃくっている。店主は手を伸ばして、ふきの頭を撫でた。

「良いさ、良いさ。悲しみを無理に封じるこたぁ無ぇし、今夜は存分に泣いて良いんだぜ。ふき坊にとって、又さんはお父っつぁんみて《ね》ぇなもんだったからなぁ」

けどな、と種市は真っ赤になった目を擦る。

「明日は又さんをちゃんと向こうへ送るんだ。お前がいつまでもそんなじゃあ、又さんだって辛《つれ》ぇよ」

ふきはやはり、顔を覆ったまま泣き止まない。満中陰から初盆までさほど間がなかったこともあり、一同は少女の胸中を慮《おもんぱか》る。

開け放ったままの勝手口から、夜風に乗って線香の匂いが流れ込んできた。江戸の街のそこかしこで、仏たちとの最後の集いが営まれていることを窺わせた。

少しも料理の減っていない又次の膳に目を向けて、種市は、なぁ、ふき坊、と少女に語りかける。

「この齢になってわかることだが、残された者が逝っちまった者のために出来ることは、そう多くは無ぇのさ。中でも大事なのは、心配をかけないってことだ」

店主の言葉に、ふきは涙でぐしゃぐしゃになった顔を上げる。種市は湯飲みの中身をぐっと干して、少女に向き直った。

「そのひとを大事に胸に留めて、毎日を丁寧に生きようじゃねぇか。身の回りの小さな幸せを積み上げて、なるたけ笑って暮らそうぜ。そういう姿を見て初めて、亡くなったひとは心から安堵できるんじゃあねえのか。又さんに心配をかけない、ってのが、ふき坊に出来る一番の又さん孝行だと、俺ぁ思うがなぁ」

すぐには無理でも、そう心がけておいてくんな、と言い添えて、種市は掌で瞼を擦った。

種市の言葉は、膳を囲む皆の心に沁みた。愛娘《まなむすめ》のおつるを悲惨な形で喪い、ひとり無明長夜《むみょうじょうや》を生きた種市の言葉だからこそ、皆の胸に沁み入った。

「お調子者のつる家の店主も、たまには良いことを言いますねぇ」

鼻の詰まった声で言ったあと、ああそうだ、と、りうは手を叩いた。

「明日は健坊《けんぼう》の藪入《やぶい》りじゃないですか」

ああ、と芳も両の手を打ち鳴らす。

「さいだしたなあ、うっかりしてましたた」

えらい薄情なことを、と芳は頭を振った。澪も店主と眼差しを交わし、互いに失念していたことを確心する。

ふきは大人たちを見回し、消え入りそうな声で、私も忘れてました、と打ち明けた。

「何だよぅ、ふき坊まで忘れてたんじゃ仕様がねぇなぁ」

種市の裏返った声で、皆が仄《ほの》かに笑い、座は緩んだ。

「どれ、明日はあたしが健坊を登龍楼に迎えに行って、ここに連れて帰りますかねぇ。ご寮さん、店の方を頼めますか？」

「へえ、任せておくれやす」

「俺ぁ健坊を湯に連れていくからよ、ふき坊はお澪坊と一緒に旨い物を拵えてやんな。健坊の好物をたんと用意してやろうぜ」

皆が明日を語りだしたことで、薄暗い板敷に希望の灯が点《とも》る。

澪の視線は、今は居ないそのひとを求めて、調理場をぐるりと廻った。

この場所で、あれこれとふたりして知恵を絞りながら料理を作った日々。澪の依頼心を見抜き、他人に際限なく寄りかかるのは似合わない、と諭《さと》したひと。時に師となり、時に友となって、料理の道をともに歩んでくれた大切なひと。

澪はその面影を大事に胸に留めた。


俎橋の向こうの空、その低い位置に陽は在る。

地に近い空が緋色《ひいろ》に染まるものの、中天に目を転じれば、藤納戸《ふじなんど》色の空にまだ鼓星《つづみぼし》が名残りを惜しんでいた。

昨夜はつる家に泊まった芳と澪、それにふきの三人は、先刻より、店主がおがらに火をつけるのをじっと見守っている。

折って積まれたおがらは、火が入ると赤々と燃え上がり、薄い煙を放った。

「又さん、この煙に乗ってお浄土へ戻りな。そして来年、また必ずここに帰ってくんだぜ」

細い煙は、九段坂へ向かって流れていく。

見れば、坂の上にまだ月が白く消え残っていた。少しも欠けたところのない、丸い、丸い月だ。

昨年の十五夜、ふきの「あんな風に、どこも欠けてない幸せがあればいいのに」という呟きを、澪は思い返した。

淡い残月は、ふきを慈しみ見守る又次のように、澪の目には映《うつ》る。

泣くまい、と固く唇を結んでいた少女は、手を高く差し伸べて、懸命に煙を追いかけていく。

彼岸まで――慰《なぐさ》め海苔巻《のりまき》

「どうしてかしら」

つる家《や》の明け放った勝手口から、中の声が洩《も》れ聞こえる。

「どうして、こんなに塩辛いのかしら」

澪《みお》姉さんに教わった通りに作ったのに、と落胆するのを聞けば、どうやらふきの独《ひと》り言らしい。澪は首を流れる汗を手拭《てぬぐ》いで押さえつつ、少女を驚かさないように、お早う、とさり気なく声をかけて調理場へ入った。

「ふきちゃん、どうかしたの？」

「澪姉さん」

汁椀《しるわん》を手にしていたふきは、澪の顔を見て、半分泣きそうな表情になった。

店主との朝餉《あさげ》用の汁を初めて作ったものの、どうにも塩辛くてならないのだという。

どれ、と澪は少女の持つ椀に手を伸ばした。中身は豆腐の澄まし汁だ。粗末な椀を両の掌《てのひら》で包み込んだが、少しも熱を感じない。作ってから刻《とき》が経《た》っているのだろう。朝の雑用に手を取られ、味を見るのが今頃になったのか。澪は、ふんわりと口もとを綻《ほころ》ばせた。

「そうね、これだと塩辛く感じてしまうわね」

「えっ」

味も見ないで澪がそう言ったことで、ふきは双眸《そうぼう》を見張る。

澪は小鍋に椀の中身を空け、七輪で温め直した。煮え始めを椀に張り、ふきに勧《すす》める。中身をひと啜《すす》りして、あっ、とふきは声を洩らした。

「もう塩辛くないでしょう？」

ただ加熱しただけで、何も足してはいない。

一体どうして、とふきは椀と澪とを交互に見た。

「塩味は、冷めるときつく感じるの。逆に、熱が加わると柔らかになる。だから汁ものは熱いうちに出すことがとても大事なのよ」

他にも、例えば甘い味は、ひと肌程度が最も甘さを強く感じ、それより熱くても冷たくても鈍くなる。苦味は熱くした時にだけ柔らかくなる。澪にもその理由はわからないし、説明できないのだが、日々、料理していると自然に身に付くことだった。

「その料理に一番相応《ふさわ》しい状態で、お客さんに食べてもらうことが大切なの。汁物なら煮えばなね。熱いものは熱く、冷たいものは冷たく、と昔から言われるのは、そういう意味でもあるのよ」

熱いものは熱く、と澪の教えを身体に刻むように、ふきは繰り返す。そんな少女を微笑《ほほえ》ましく眺めていた時だった。

「助けてくれよぅ、お澪坊、俺《おら》ぁ起き上がれねぇんだよぅ」

路地から、仕入れに行ったはずの店主の悲鳴が聞こえる。何事か、と澪は慌てて勝手口を飛び出した。

見れば、つる家の店主が背負い籠《かご》ごとひっくり返って、足をばたつかせている。

「まあ、大変」

駆け寄って抱き起こそうとしたが、背負い籠の中身が重過ぎて叶《かな》わない。まずは籠から店主を解放して、漸《ようや》くひと息つくことが出来た。

「棒手振《ぼてふ》りが珍しいものを担いでたからよぅ、全部買い占めたは良いが、重くてかなわねぇ。俺ぁ、この齢《とし》になって亀の気持ちがわかるとは思わなかったぜ」

激しく肩を上下させて、店主は滴《したた》り落ちる汗を単衣《ひとえ》の袖《そで》で拭った。

珍しいもの、と澪は地面に置いた背負い籠を覗《のぞ》き込んだ。ふきもこれに倣《なら》う。

薄緑色をした、西瓜《すいか》ほどの大きな丸い実がみっしりと詰まっていた。

「まあ、ふくべ。ふくべだわ」

澪は思わず両の手を合わせて、歓声を上げた。

「お、ふくべを知ってるたぁ、流石《さすが》お澪坊だ」

もう片方の袖で顎《あご》の汗を拭いながら、店主はすこぶる上機嫌である。

一方、ふきは、ふくべ、と口の中で小さく言って、不安そうに視線を泳がせた。

澪は籠の中から大きな実をひとつ取り上げて、表面を愛《いと》おしそうに撫《な》でる。

「ふきちゃん、夕顔《ゆうがお》は知ってるでしょう?」

「白い花で、夕方に咲く?」

ふきの回答に、そう、夕方に咲くわね、と澪はにこやかに頷《うなず》いた。

「その夕顔の実が、このふくべなのよ」

うっ、とふきが小さく呻《うめ》いた。恐らく、ふきの脳裏にある夕顔は、植木鉢で蔓《つる》を上に上にと這《は》わせて育てるものなのだろう。

「実を取るための夕顔は、西瓜のように地を這わせて育てるのよ。そうでないと、中々ここまで大きな実にはならないもの」

澪の説明にふきは感嘆の声を洩らし、手を伸ばしてつるつると滑《なめ》らかな皮を撫でた。

「澪姉さん、では、これも食べられるんですね。冬瓜《とうがん》みたいに料理するんでしょうか?」

「そうね、そうするひとも居るでしょうけど」

澪は言って、ちらりと店主の顔を見た。種市《たねいち》は澪とふきとの会話に割り込みたくて仕様がないのか、先刻からうずうずしている。

「ふき坊、ふくべの実は乾物《かんぶつ》にして食うのが一番なんだぜ。ふき坊もよく知ってる、あれだよ、あれ」

ほら、こないだも食ったじゃねぇか、と店主から畳み込まれて、ふきは助けを求めるように澪を見上げた。うふふ、と澪は笑いながら、小石を手に取る。身を屈《かが》めると、湿った地面に小石を使って、読み易いように大きく「瓢」と書いた。

「ふくべ、って漢字だとこう書くのよ」

画数が多いので、ふきには難しいらしい。両膝《ひざ》を折って、地面に書かれた文字を懸命に真似《まね》ている。さらに、澪は瓢の文字の前に「干」を書き加えた。

「『干』は干す、という意味ね。瓢を干して作るから、この漢字を当てるの。料理の道に入るなら、これから先、幾度も目にすることになるかも知れないから、よく覚えておくと良いわ」

干瓢、と書かれた地面に見入って、ふきは息を詰める。その二文字が何を指すのか、皆目《かいもく》見当がつかないのだろう。旦那さん、と澪は種市を呼んで笑顔を向けた。

　ようやく出番が廻《まわ》ってきた店主は、鼻息も荒く、地面の文字を指し示す。

「これで『かんぴょう』と読むんだぜ、ふき坊」

　かんぴょう、と繰り返し、零《こぼ》れ落ちそうなほど両目を見開いている少女に、種市はしめしめ、と大満足だ。

　小鼻を蠢《うごめ》かす店主の様子が可笑《おか》しくて、澪は堪《たま》らず噴き出した。

　つる家の勝手口から表通りへと繋《つな》がる路地に、緑色の艶々《つやつや》した果実が並ぶ。

「いくら珍しいからって、あんなに……。一体、誰があれを干瓢にするんですよ」

　先ほどから呆《あき》れ顔で、りうが勝手口から路地を覗いている。

「あたしゃ、つる家じゃあ一番年嵩《としかさ》ですがねぇ、流石に干瓢の作り方までは知りませんよ」

「それなら心配ねぇよ」

　なあ、お澪坊、と種市は呑気《のんき》に背後を振り返った。調理台では、蒸らし終えた飯を、芳《よし》、おりょう、ふきの三人が団扇《うちわ》で扇《あお》ぐ。火傷《やけど》しない程度に冷めたものを、澪は食べ易いよう小振りに握っていた。

「澪ちゃん、作り方を知ってるのかい？」

おりょうに問われて、澪は、ええ、と頷く。

「大坂に木津《きづ》いうとこがおます。天満一兆庵《てんまいっちょうあん》から一里とちょっと、そうは遠ない場所だすが、そこの名産が干瓢だした」

澪の代わりに、芳が懐かしそうに答えた。

刹那《せつな》、脳裡《のうり》に木津の情景が広がる。一面を覆《おお》い尽くす濃い緑の大きな葉。夏の夕暮れ時、残照を受けて、葉陰から花が少しずつ白い花弁を広げ、陽《ひ》の落ちる頃には満開となる。

澪たち家族が暮らしていた四ツ橋《よつばし》からは、半里（約二キロ）ほどなので、蒸し暑い日暮れに、父と母に手を引かれ、夕涼みがてら出かけたものだ。

　嫁にやろまい　木津今宮へ
　夜《よ》さりや　干瓢の皮むかす

当時聞いた謡《うた》が耳にまだ残っていた。

「天満一兆庵で使う干瓢も、そこで作ってもろたもんだす。せやさかい、澪も何遍《なんべん》かお使いで足を運んで、作るとこを見せてもろてたんだす」

なあ、澪、と促《うなが》されて、澪は我に返った。

気付けば、りうが路地からふくべをひとつ、調理場へ持ち込んでいた。

「澪さん、この実から干瓢を、一体どんな風にして作るんです？」

りうに問われ、懐古の眼差《まなざ》しを空へ向ける。

ふくべを輪切りにし、分厚く皮を剝《む》いたら、あとは剃刀《かみそり》を用いて、出来る限り薄く実を剝いていく。それを長い竿《さお》に広げて乾かして干瓢に仕上げるのだ。

「薄く均一に剝いていくのはとても難しいんです」

澪の話に、おりょうが団扇の手を止める。

「それじゃあ、よく切れる剃刀と、人手もあった方が良いねぇ」

剃刀は亭主に頼んで、明日は太一《たいち》も連れて来よう、とおりょうは申し出た。

処暑《しょしょ》を過ぎたはずが、陽射しは相変わらず肌を焼き、通りを歩くひとびとの足は少しでも涼を求めて陰を選ぶ。

九段坂下を歩く者たちは、つる家の前でふと足を止めた。いつの間にか軒先に物干しが出来て、長い紐《ひも》のようなものが幾重にも竿掛けされている。その下で、見張り番か、十歳ほどの男の子が大人しく地面に絵を描いて遊んでいた。

「小僧、こいつぁ一体、何だってぇんだ」

幾人かが問い質《ただ》したが、男の子は何も応《こた》えず、俯《うつむ》いたままだ。仕様がねぇな、と諦《あきら》めて仰《あお》ぎ見れば、真っ白な紐が蒼天《そうてん》になびく姿は何とも涼しげだ。風情《ふぜい》、風情、と満足げに頷いて、思い思いに散っていく。

「太一ちゃん」

路地から澪が顔を出して、男の子を呼んだ。小石で地面に絵を描いていた太一は、その声に振り返る。

「お腹空《なかす》いたでしょう。賄《まかな》いが出来たから、先にお上がんなさい」

太一の傍《そば》まで行って、地面に目を落とす。そこに花弁を広げた夕顔が描かれていた。澪の口から、まあ、と声が洩れた。蔓や葉に至るまで本物そっくりで、子供の手慰《てなぐさ》みとも思えない。太一の傍《かたわ》らにしゃがみ込み、澪はうっとりと見惚《みと》れた。

「おい、これは何だ」

ふいに、背後から横柄《おうへい》な声が投げつけられる。

振り向かなくとも声の主《ぬし》に見当がついて、澪は、

「清右衛門《せいえもん》先生、おいでなさいませ」

と、折っていた膝を伸ばした。戯作者《げさくしゃ》の方へ向き直って、澪は、あら、と軽く目を見開く。珍しいことに清右衛門に、坂村堂《さかむらどう》以外の連れがあった。

清右衛門よりも七つ八つ年長に見える。芥箱《あくたばこ》から抜け出して来たのか、と思うほど、

身に纏《まと》う単衣には煎餅《せんべい》の欠片《かけら》やら魚の骨やらが付着して、酸《す》っぱい臭《にお》いを放《はな》っていた。ただ、着物自体は小千谷縮《おぢやちぢみ》の上物で、さもしさはない。男は、澪の視線を気にも留めず、太一の描いた絵をじっと眺めている。

「さっさと答えぬか、あれは何なのだ」

無視された、と思ったのか、清右衛門は顔を真っ赤に紅潮させて憤《いきどお》っている。

澪が口を開くより早く、

「煩《うるさ》い奴だな、あれは干瓢だ」

と、男が答えた。目はじっと太一の手の動きを凝視したままだ。

「清右衛門が干瓢を知らぬとは意外なことよ」

連れにそう言われて、清右衛門は、馬鹿者、と怒鳴った。

「干瓢くらい知っておるわ。辰政《ときまさ》、あまりわしを見くびるでないぞ」

さっさと付いて来い、と言い捨てると、清右衛門はつる家の入口を素通りして、路地へと入って行く。清右衛門先生、そちらは、と澪は慌てて戯作者のあとを追った。

「おやまあ、清右衛門先生じゃありませんか」

板敷で遅い賄いを摂《と》っていたりうは、驚いて腰を浮かせた。

「ここは調理場ですよ、一体どうしたんです」

「良いから黙って昼餉《ひるげ》を二人前、用意せよ」

清右衛門は傲慢に命じて、連れに己《おのれ》の隣りを顎で示した。大人《おとな》しく清右衛門と並んで板敷に腰を下ろした男を見て、りうは得心した顔で土間へと降りる。

芥箱から這い出たような形《なり》の者が座敷に居れば、他のお客が食事を楽しめない。清右衛門なりの気遣《きづか》いに、漸《ようや》く澪も気付いた。

「清右衛門先生、ご覧になりましたか？　表の干瓢」

膳が整うまでの間、りうが座を持たせようと、表の方を指してみせる。

「ここの店主の人遣いの荒いったら。今朝なんざ、暗いうちから店へ集まって、慣れない手つきでふくべを剝いて、とそりゃもう大変でした。皆、剃刀で手を切りそうになって、結局は澪さんがかつら剝きの要領で」

煩い、と清右衛門が老女の話を遮《さえぎ》った。

「わしは干瓢などと貧乏臭いものには興味がない。黙って茶でも淹《い》れていろ」

首をすくめるりうに、連れの男は、

「婆さん、済まんな。こいつはあれが干瓢だと知らずに恥をかいたので、逆恨《さかうら》みしているのだ。許してやれ」

と笑った。

憤然と言い返そうとする戯作者の前に、昼餉の膳が置かれる。つる家の夏の定番、梅干しと茗荷と切り胡麻を混ぜ込んだ小振りの握り飯。ひんやりした蒸し茄子《なす》に、一夜干しの鰺《あじ》を炙《あぶ》ったもの。

清右衛門はむっとした表情のまま箸《はし》を取った。

「ほほう、これは」

辰政、と呼ばれていた男は、握り飯をひと口で食べると瞠目《どうもく》し、あとは物も言わずに黙々と食べ、たちまちに全《すべ》ての器《うつわ》を空《から》にした。飯のひと粒、香の物の一片も残っていない。初めてのお客の旺盛《おうせい》な食欲は、澪とりうとを幸せな心地《ここち》にする。全身から放たれる酸っぱい臭いに鼻も慣れてきて、娘と老女はにこにこと笑みを零した。

そんなふたりを前に、清右衛門は、ふん、と鼻を鳴らす。

「調理場で食すなど、まるで賄いを食っているようで気に入らん。辰政、大体お前が悪いのだ。次からは座敷に上がれるよう、着物を汚さぬ程度に部屋を掃除しろ」

「それが面倒ゆえ、部屋が汚れたら引っ越すのだ。坂村堂に次の引っ越し先を探すように頼んである。暫《しば》し待て」

男同士の遣《や》り取りを聞いて、りうが二つ折れの腰を無理にも伸ばした。

「辰政……って、もしや絵師の辰政先生じゃありませんか？　清右衛門先生の書かれ

た源 為朝《みなもとのためとも》の、あの琉球《りゆうきゆう》の話の挿絵を描かれた」

ほう、と男は軽く眼《め》を見張った。

「その通りだ。婆さんが俺を知っているとは珍しいな」

男の言葉を聞くなり、りうは狼狽《うろた》えて、旦那さん、旦那さん、大変ですよ、と座敷へ店主を呼びに走った。入れ違いに調理場へ戻ったおりょうが、何事か、と振り返っている。

「辰政、騒がしくならぬうちに帰るぞ」

清右衛門が膳を押しやって立ち上がり、辰政もこれに倣った。

「おう、坊主」

辰政は、勝手口に立って中を覗いている太一に目を止めると、懐《ふところ》から草紙《そうし》らしきものを引っ張り出した。

「夕顔の絵は、よく描けていた。何より絵が好きなのがわかった」

これをやろう、と太一に押し付けると、すたすたと外へ出て行った。

「何をもらったんだい。太一」

膳を手にしたまま、おりょうは息子に呼びかける。見て良いよ、と母親に許されて、太一は草紙を開いた。

「まあ、素晴らしいわ」

傍らから覗き込んで、澪は歓声を上げる。鳥獣草木、仙佛士女、と思いつく限りのものを描いた絵ばかりの本だった。中でも、餅《もち》をつくひとびとの姿や、蕎麦《そば》を手繰《たぐ》るひと、酔って眠るひとの姿など生き生きと描かれて、今にも本当に動き出しそうだった。開いては戻り、開いては戻りして、太一は夢中で眺めている。

「辰政先生、辰政先生は」

りうが種市を引き摺《ず》って戻った時には、ただもう酸っぱい臭いが残るばかりだった。

つる家の軒先にずらりと干された干瓢は、丁度、真っ白な簾《すだれ》に似る。風がそよぐ度《たび》に揺れて、道行くひとびとに涼をもたらした。

「あれが干瓢とはなあ」

「俺ぁ干瓢はよく食うが、ああして作るたぁ知らなかった」

そんな会話が繰り返されて、二日目。

昼餉時を大分と過ぎて、入れ込み座敷に残るのは、版元の坂村堂ひとりきりだ。

「表の干瓢は実に良いですね」

食後のお茶を啜《すす》りながら、坂村堂は店主と澪に話しかける。

「干瓢は地味で素朴《そぼく》な食材ですが、ああして目で見て楽しみ、『何時《いつ》かはあれがつる家で食べられる』と心で楽しめるから、客の気持ちをぐっと引き寄せられます」

ありがとうございやす、と店主は嬉《うれ》しそうに応えた。

「干し過ぎると割れちまうそうなんで、ああして干すのは今日までですがね。手間はかかりましたが、こっちも楽しめました」

な、お澪坊、と言われて、澪もにこにこと頷いてみせる。

あのう、と座敷の隅《すみ》から、おずおずとおりょうが坂村堂の傍まで膝行《しっこう》した。

「割り込んでごめんなさいよ。坂村堂さん、ちょいと教えてほしいことがあるんですがねぇ」

おりょうは昨日、自分の息子が辰政という人物から草紙をもらったことを口早に話した。

「風景やらひとやらの絵ばかりが綴《つづ》られたもの、ですか」

おりょうの話を聞き終えて、坂村堂は唸《うな》る。

「それは二年前に出版された辰政先生の絵手本の初編に間違いありません。あれは大評判を取って、今は入手困難な品です。何せ辰政先生の絵手本はどれほど高値でも刷れば刷っただけ売れて、誰も手放さないのですよ。去年、今年と続編も出ていますが、初編とはまた珍しい。息子さんは大変に貴重なものを貰《もら》われましたね」

何なら私が買い取りたいほどですよ、と坂村堂は苦く笑った。

坂村堂の口ぶりから、相当値打ちのあるものと知れて、おりょうは青ざめる。

「そんな貴重なものなら、太一に言い聞かせて、返させますよ。ああでも、あの子、気に入って抱いて寝てるんです。どうしたら……」

「幾らか礼をするしかねぇんじゃねぇか」

店主の提案を、しかし、坂村堂はあっさり打ち砕く。

「止《よ》した方が良い。辰政先生は清右衛門先生に引けを取らぬほどの変わり者です。機嫌を損《そこ》ねて『返せ』と言われるのが落ちでしょう」

せっかく息子さんが気に入っているのに、それは可哀想《かわいそう》だ、と坂村堂は考え込んだ。

暫《しばら》く、あれこれ思案していたが、ああ、そうだ、と小膝を打つ。

「以前、辰政先生から剝き物のことを尋ねられたことがありました」

剝き物、と種市とおりょうは繰り返し、首を傾《かし》げている。ええ、と版元《はんもと》は頷いた。

「細工包丁、と言いますか、大根や人参《にんじん》を使って、鶴《つる》や亀を作るのです。辰政先生は、『話に聞いたが、現物を見たことがない』と。私が一柳《いちりゅう》の血筋と知って、何とかしろ、と仰《おっしゃ》ったのですが、面倒なので聞き流してしまいました」

坂村堂は、澪の方に向き直って、どうでしょう、澪さんが、と言いかけて、ふと口を噤《つぐ》んだ。その目は澪の左の指を注視している。

「いや、申し訳ない。余計な差し出口でした」

登龍楼《とりゅうろう》との競い合いの際に、澪が左手の人差し指と中指に大怪我《けが》を負ったことを思い出したのに違いなかった。

「おりょうさん、辰政先生には、坊がとても喜んでいた、とお伝えしておきます」

それで大丈夫ですから、と版元は結んで、席を立った。

「坂村堂さんにも、それに澪ちゃんにも気詰まりな思いをさせちまったね。堪忍しとくれ」

坂村堂を見送って、おりょうは澪に頭を下げた。澪の左の二本の指が元通りには動かないことは、つる家の面々はよく知っている。普段の調理ではさほど不自由はないが、細かい作業はとても難儀するのだ。

何とも思っていない、と言葉にする替わりに、澪はおりょうを見て、柔らかく微笑んだ。

夜が更《ふ》けても暑さは去らず、澪たちが暮らす裏店《うらだな》では、どの家も引き戸を開いて外からの風の通り道を作っていた。

澪は包丁を片手に、輪切りにした大根に苦労しながら切り込みを入れていく。

「あ」

油断したつもりはないのに、包丁が逸《そ》れて鶴の首にあたるところが切れた。ふう、と吐息をついて、額《ひたい》の汗を手の甲で拭う。

剝き物、と呼ばれる細工包丁は、料理の味そのものには関係ないが、食事の場に花を添えて、食べる者の気持ちを引き立てる。天満一兆庵でも、寿《ことほ》ぎの膳には必ず用いられた。若旦那の佐兵衛《さへえ》はこれを任されて、人気《ひとけ》のない調理場で、ひとり黙々と練習していた。往時のその姿を、澪は懐かしく思い出す。

気を取り直し、包丁の刃先を使って細かな作業を続ける。漸く仕上がったのを見れば、鶴とは似ても似つかない代物《しろもの》だった。

「専用の包丁がないと難しおますなあ」

何時《いつ》の間に起き出したのか、芳が傍らに座って澪の手もとを覗き込んでいた。

「先が三角のもんでないと、細かい細工は無理だすやろ」

返事の代わりに、澪は両の眉《まゆ》を下げる。芳は澪の手から剝き物の鶴を取り上げて、灯明皿《とうみょうざら》の明かりのもと、しげしげと眺めた。

「懐かしおますなあ。料理人によっては、彫り物道具を使って彫師のような仕事をする者も居《お》るけんど、嘉兵衛《かへえ》はそないなことは望まんかった」

へえ、と澪はくに訛《なま》りに戻って頷いた。

元来、手先の器用だった佐兵衛は、大根で菊花や蓮花の剝き物を拵《こしら》えるのを得意としたが、嘉兵衛は、なるべく刃物を入れる回数は少なく、華美に走らぬように、と命じていた。これを受けて佐兵衛が生みだした剝き物を、澪は忘れない。ことに大根を用いた鶴と、筍《たけのこ》の肌合いを生かした亀は、美しさの中に愛嬌《あいきょう》もあり、何より通人《つうじん》らに愛された。

「羽を丸めて憩《いこ》う鶴……佐兵衛がよう作ってましたなあ」

澪の手による無残な剝き物の鶴の奥に、芳は息子の面影を見ているに違いない。

澪は芳の胸中を慮《おもんぱか》って、唇を引き結んだ。

「やい、つる家、いつまで焦《じ》らせやがる。さっさと干瓢を食わしやがれ」

干瓢の簾《すだれ》が取り込まれて、三日経っても四日過ぎても一向に干瓢は膳にのぼらない。

葉月も十日を過ぎ、業《ごう》を煮やしたお客が、暖簾《のれん》の前でりうに食ってかかった。

「何ですねぇ、良い男が台無しですよ」

りうは歯の無い口を窄《すぼ》めてみせる。

「あれは乾物ですから、作ってすぐ食べたりしませんよ。いつ出るか、いつ出るか、と長く楽しむのも味のうちです」

飴《あめ》色になって、良い出汁《だし》が引けるまで辛抱、辛抱、と言いくるめられて、お客は仕方なく帰っていく。

「りうさんを下足番《げそくばん》にして、存外、良かったなあ。そう思わねぇか？　お澪坊」

表の遣り取りに耳を傾けて、種市は料理人に相槌《あいづち》を求めた。だが、返事はない。

調理台を見れば、今日の献立《こんだて》の下拵えは済んでいるのだが、つる家の料理人と料理見習いは懸命に包丁を使っている。背後から近寄って、種市はその手もとを覗いた。

「ほほう、ふき坊は千切りが随分と上達したもんだな」

お澪坊は、と言いかけて、種市は声を呑《の》む。

澪は真剣な表情で大根を丸く剝いていた。刃の角を使ったり、松葉先と呼ばれる先端を用いたりして、器用に剝いていくのだが、大根を支える左手が今ひとつ安定しない。弱音を吐く娘じゃねぇが、との台詞《せりふ》を胸に封じて、種市は澪の作業を見守った。

「これくらいが精一杯かしら」

ふう、と吐息をついて、澪は仕上げたものを掌に載《の》せる。

「こりゃあ、また何とも」

種市は顔を近づけて、じっと眺めた。

「羽に嘴《くちばし》を入れてひと休みしている鶴の姿に見えるぜ」

「澪姉さん、すごいです」

ふきも包丁を置いて、背伸びして見ている。

佐兵衛の鶴は、もっとずっと愛らしく、美しかった。けれど、自分の技ではこれが精一杯、と澪は手の中の鶴を眺めて嘆息した。

「巧《うま》く出来たら太一ちゃんの絵手本のお礼にと思いましたが、これでは駄目です」

澪の溜息《ためいき》を受けて、種市は慰める。

「夏大根は、冬の大根と違って力が無《ね》ぇし、細工し辛《づら》いだろうよ。それでも、俺ぁよく出来てると思うぜ」

どれ、と手を伸ばして鶴を譲り受け、ふきとともにじっと見つめる。

「これが坂村堂の旦那が話してた剝き物ってやつなんだな。こいつぁ良いや」

そうだ、と何を思いついたのか、店主はぽんと手を打った。

「お澪坊、正月の煮しめに、人参を梅花の形にしてくれたろ。今の時期、人参は無ぇが、大根で作ってみちゃくれまいか」

赤梅酢で色を付けてよぅ、と店主は声を弾ませた。

つる家の一階の入れ込み座敷の奥、常《つね》は清右衛門や坂村堂の定席《じょうせき》になっている傍に飾り棚があって、毎朝、芳の手でそこに花が飾られる。雛祭《ひなまつ》りには一対《いっつい》の土雛、正月近くになると羽根突きの羽根が置かれたりもする。だが、腹を減らしたお客は大概気付かないし、満腹になったらなったで、やはり気付かない。

「誰も見やがらねぇなぁ」

昼餉時を過ぎ、店主は飾り棚を覗いて、無念そうに呟《つぶや》いた。

目に留まりやすいように斜めに置いた青磁の皿には、真っ白な鶴と、梅酢で染めた梅の花の剝き物が載っている。

「つる家のお客は皆、料理人の料理目当てで通ってるんですよ。そんな細かいところまで見ませんって」

暖簾の内側に控えていたりうが、呆れ顔で店主に提案する。

「そんなに見てもらいたけりゃあ、ご自分から話題にしたらどうなんです」

「馬鹿いっちゃいけねぇぜ。俺ぁ奥ゆかしいんだ、自分から言えるかよぅ」

種市はむきになって応じた。そんな店主の望みを叶えたのは、その日、最後につる家の暖簾を潜《くぐ》ったひと組の夫婦だった。

六つ半（午後七時）になり、料理の注文も絶えた。あとは夜食の準備を、と考えていた時、りうの「おいでなさいませ」とお客を迎える声がした。

「まあまあ、いつぞやの」

りうの華やいだ声が気になって、澪は間仕切り越しに座敷を覗いた。芳に案内されて、入れ込み座敷の奥の席へと向かう姿を見れば、大店《おおだな》のご隠居らしい初老の夫、わざと地味な暗色の着物を身に纏《まと》うが、若く美しい連れ合い。その連れ合いに目を止めて、あっ、と声を洩らした。

もとは翁屋《おきなや》の新造菊乃《しんぞうきくの》、今はしのぶとなったそのひとだ。思えば昨年の霜月にああして夫婦で訪れて以来だった。着座したしのぶは、芳と夫との会話を微笑んで聞いている。

良かった。しのぶさん、変わらずにお幸せそうだわ。

吉原廓《よしわらぐるわ》という苦界《くがい》に身を置いたおんなが、今は満ち足りた笑顔を見せている。澪はしのぶの幸せが嬉しくてならなかった。

「昨年も思ったことだが」

生姜《しょうが》ご飯に、蛸《たこ》と胡瓜《きゅうり》の「ありえねぇ」、豆腐田楽《でんがく》に、夕鯵《ゆうあじ》の塩焼き。それぞれの料理の器が舐《な》めたかの如《ごと》く、綺麗《きれい》に空になっている。男は、その膳を澪に示して、穏《おだ》やかに告げた。

「どの料理もとても細やかな気遣いがされて、感心しつつも無我夢中で食べきってしまった。今時分の蛸がこれほど旨いとは、この齢になるまで知りませんでした」

しのぶも深く頷いて、控えめに言い添える。

「番付を決めるかたがたの目は節穴《ふしあな》でございましょう。昨年は私、腹立たしくてなりませんでした」

こいつぁ、と種市が弱ったように頭に手を置く。

夫は笑いながら懐に手を入れ、何かを取り出した。

「これからも使わせてもらいますよ。ついては、まだ名乗っていないことに気付きましてね」

これを、と店主の前に置いたのを見れば、美しい藤紫の袱紗《ふくさ》だった。怪訝《けげん》な顔で店主が手に取る。澪も脇からそっと覗くと、「内藤新宿　藤代屋《ふじしろや》」の文字が染め抜かれていた。

「もとは日本橋の呉服商、藤代屋。昨夏、そこを息子に譲って、内藤新宿に小商《こあきな》いの店を出しましてね」

つる家の店主も奉公人も、思わず息を詰めた。日本橋の藤代屋なら、誰もが名を知る大店だった。種市が恐る恐る袱紗を開くと、懐紙が納まっていた。心付けを包んだその懐紙を押し頂いて、袱紗を返そうと丁寧《ていねい》に畳む。

「それも、取っておきなさい」

店主は鷹揚《おうよう》に言って、湯飲みを手にした。

しのぶはにこにこと澪と店主に頷いて見せたあと、さり気なく視線を座敷内に廻《めぐ》らせる。澪は藤代屋の湯飲みのお茶が残り少なくなっているのに気付いて、傍らの土瓶《どびん》を手に取った。

「あら」

女房が洩らした声に、藤代屋は顔を上げる。しのぶが何かを注視するのに釣られて、藤代屋も飾り棚に目を向けた。

「おや、あれは……」

藤代屋の主《あるじ》夫婦が剝き物に目を留めてくれたのが余程嬉しいのだろう、種市は立ち上がり、器を手にふたりのもとへ戻った。

「細工包丁で拵えた、剝き物なんですがね」

どうぞ手に取ってご覧ください、と店主に勧められて、藤代屋は鶴を掌に載せる。

「これによく似たものを、婚礼の祝いにもらったことがある」

藤代屋が独り言のように呟くのを耳にして、入れ込み座敷の隅に控えていた芳が、顔を上げた。

「しのぶ、お前も覚えているだろう。そうだ、確か、お前に届けられたものだった」

しのぶは首を傾げ、そうでしたかしら、と応えた。藤代屋は女房の失念を怪訝に感じたのか、なお食い下がる。

「忘れたのか。大根で作った鶴と、それに箔を使った亀だ。それは見事な出来栄《できば》えだった。お前は確か、釣《つ》り忍売《しのぶう》りが拵えた、とか話していただろう」

澪の手から土瓶の柄《え》が離れた。

「これは、とんだ粗相《そそう》を」

畳に転がった土瓶を種市が慌てて拾い上げる。

澪の目が、血の気《け》の失《う》せた芳を捉《とら》えた。

「釣り忍売り……」

低く呻き、芳は膝行して藤代屋に迫った。

「お願いだす、その話、詳《くわ》しい教えておくれやす」

普段は聡明《そうめい》で、奉公人としての分を守り、お客を持て成すことにのみ心を砕く芳の、その取り乱した姿に種市もりうも息を呑んだ。

藤代屋は戸惑い、しのぶと顔を見合わせる。

「何か事情がありそうだが」

藤代屋に問われて、種市は困惑の眼差しを澪に向けた。

「釣り忍売り姿の若旦那《わかだんな》さんを、天満一兆庵の江戸店《えどだな》があった辺《あた》りで見かけた、と富《とみ》三《ぞう》が……」

震える声で澪が言うのを聞いて、種市は、そうだった、と大きく頷いた。

「このひとは、江戸で行方《ゆくえ》知れずの息子を探してるんです。もとは大坂の大きな料理屋の若旦那で、嵌《は》められて江戸店を盗《と》られ、釣り忍売りになってどこぞに身を潜《ひそ》めているようなんで」

もしご存じのことがあったら教えてもらえやしませんか、と種市に水を向けられて、藤代屋は、再度、しのぶに問うた。

「そんな事情なら、何とか思い出して差し上げなさい。私は確かにお前の口から、釣り忍売りの話を聞いたよ。細工包丁と釣り忍売り、という取り合わせが意外で、心に残っているのだがねえ」

夫に言われて、しのぶはじっと考え込んだ。傍目《はため》には真剣に思い出す努力をしているように見えるのだが、澪は、ふと、そこに何らかの意図《いと》を感じた。

「申し訳ございません」

しのぶは両の手を膝に置いて、芳の方へ僅《わず》かに身を乗り出した。

「どうしても思い出せないのです。藤代屋の後添《のちぞ》いに迎えられたばかりの頃は、本当に沢山《たくさん》のかたからお祝いを頂戴《ちょうだい》しましたし……」

ああ、と息が洩れて、芳は顔を覆《おお》う。だが、それもほんの少しの間で、芳は気丈に居住まいを正し、藤代屋に向かって深く頭を下げた。

「お騒がせをしました。せっかくお食事をお楽しみ頂きましたのに、お詫《わ》びのしようもございません」

どうぞ堪忍しておくれやす、と結ぶと、芳はさっと調理場へと消えた。

誰も口をきかず、暫《しばら》くは気まずい雰囲気が座敷を包んだ。

あの、というしのぶの声に、皆が顔を向ける。

「今夜は三河町の旅籠《はたご》に泊まりますから、ひと晩じっくりとかけて、思い出せるよう努《つと》めてみます」

「ああ、それは良い。是非そうなさい」

藤代屋はおおらかに頷いてみせる。

「普段は物覚えの良いお前のことだ。きっと何か思い出せるだろう」

はい、と夫に頷いたものの、しのぶは躊躇《ためら》いを覗かせた。

「ただ、何も思い出せなければ、あのかたに申し訳がないし、かえって辛い思いをさせてしまいます。私もそんな様子を見るのは辛い……」

逡巡《しゅんじゅん》するしのぶの目が、澪を捉えた。

そうだわ、と小さく手を合わせ、しのぶは言う。

「申し訳ないのですが、明朝、あなただけで、宿の方へいらして頂けませんか？」

三河町の五十鈴《いすず》という旅籠です、としのぶは澪に告げた。


提灯《ちょうちん》要らずの夜だった。

丸みを帯びた月は背後の高い空に在《あ》って、足もとに薄い影を作っている。暑さばかりだったはずが、いつの間にか、草木は夜露を抱き、二種ほどの虫の音《ね》が響く。裏店への帰り道、芳との会話の弾まない中で、その音は澪を慰めた。

昌平橋《しょうへい》に差し掛かると、思いの外《ほか》、風が強い。澪は川風から芳を庇《かば》う位置に回った。

「なあ、澪」

つる家を出てからずっと黙り込んでいた芳が、手を伸ばして澪の手首を捉えた。

「藤代屋さんのお内儀は、やっぱり何ぞ知ってはるのやないやろか」

澪は手首を摑《つか》まれたまま、どう話せば良いか、思案に暮れる。やがて、月影のもと、迷いを払って芳を見た。

「ご寮《りょん》さん、あのおひとは二年前に吉原の翁屋から身請《みう》けされたんだす」

芳は息を止め、澪の手を放して僅かに身を引いた。

「吉原の翁屋……ほな、又次《またじ》さん、いやそれよりお前《まえ》はんの幼馴染《おさななじ》みと」

はい、と澪は深く頷く。

「あのおひとの手引きで、幼馴染みの野江《のえ》ちゃんと逢《あ》わせてもろたこともおました」

そないなことが、と芳は呟き、軽く頭を払った。

「それでようわかりました。あの場ぁでは無《の》うて、お前はんとふたりだけで話したい、と思わはったんだすなあ」

しのぶが何を知っているかはわからない。だが、あの場で話せば、以前の身の上にまで触れねばならないことだったのかも知れない。そう思い至って、芳は諦めの吐息をついた。

「なあ、澪。佐兵衛は……あの子は何で会いに来てくれんのやろか。ひとを殺《あや》めた、と思い込んでいる、それだけが理由なんやろか」

答えの出ない問いかけを受けて、澪は言葉もなく項垂《うなだ》れる。そんな娘の様子を見て、芳は気持ちを切り替えるように、首を振った。

「堪忍だすで、澪。明日になったら、お内儀から何ぞ聞かして頂けるやも知れん。今から色々考えたかて仕方ないことだした」

不安と希望、相反《あいはん》するものが滲《にじ》む声だった。


翌日は、傘《かさ》を鳴らすほどの力もない、霧雨の朝となった。

まだ街は目覚めておらず、薄闇《うすやみ》の中、澪は三河町へと向かっていた。佐兵衛の消息が知れるかも、という期待と、知らずに居た方が良いことを聞かされるかも、との躊躇いとで心は乱れる。昌平橋から武家地を抜けると、自然、早足になった。三河町に差しかかる頃、漸《ようや》くひとの顔が判別できる明るさになっていた。五十鈴、と染め抜かれた暖簾の前で、旅立つ客を奉公人が送り出しているのが目に映った。

「澪さん」

部屋に案内されてきた澪を見るなり、しのぶは嬉しそうに名を呼び、その手を取った。十二畳ほどの室内に、藤代屋の姿はない。

「旦那さまは昨夜は日本橋の店にお泊まりです。ここには私だけなので、遠慮は要りませんよ」

　人払いをした部屋で、しのぶは澪のためにお茶を淹れながら、色々あるの、とほろ苦く微笑んだ。

「変ね、澪さんには何でも話してしまいそうになる。私ったら勝手にあなたのことを友達のように思ってしまっているのね」

　しのぶは頭を払い、口調を違えた。

「澪さんには刻が惜しいでしょうから、まずは若旦那さんのことを詳しく聞かせて頂けますか。大坂の天満一兆庵という店の、若旦那だったひとなのですね？」

　しのぶの声に背中を押され、澪はこれまでの経緯《いきさつ》を包み隠さず打ち明けた。要所要所で問いを挟んで、しのぶは真剣に耳を傾ける。聞き終えて、暫くの間、考えをまとめているのか、唇を一文字に引き結んだ。

「では、今度は私の番ですね」

　心を決めた表情で、しのぶは澪を見た。

「二年前に身請けされた当初、まだ旦那さまは日本橋に居て、私だけが内藤新宿の家で暮らしていたのです。頼るひともないし、心細くて寂しかった。そんな時に、湯屋でお薗《その》というひとと知り合いました」

そこまで一気に話して、しのぶはすっと澪から眼を逸らせる。少しの躊躇いのあと、声を落として続けた。

「身を売って口に糊《のり》してきたおんなは、同じように生きてきたひとがわかる。ついでにさもしさの度合いもわかるのです。お薗さんは、内藤新宿の宿場女郎《しゅくばじょろう》だったけれど、さもしいひとではなかった。お互いに何となく似たものを感じて、湯屋で会う度に少しずつ、話すようになりました」

お薗は心根の優しいおんなで、捨吉《すてきち》という名の、病み衰えた釣り忍売りを必死に支えて生きていた。身を売った銭で捨吉を医者に診《み》せ、薬を与えるその姿は、しのぶの目には菩薩《ぼさつ》に映った、という。

「捨吉……」

澪が呟くと、ええ、そう名乗っています、としのぶは頷いた。

「旦那さまは私を正式に後添いにするために日本橋の身代《しんだい》を跡取りに譲って、内藤新宿に移っていらしたの。お薗さんも捨吉さんも、我がことのように喜んでくれて……。『何のお祝いも出来ないが』と、捨吉さんが届けてくれたのが、鶴と亀の剝き物だったのです」

嘴《くちばし》を羽に埋めた丸い鶴。筍の節を甲羅《こうら》に見立てた亀。しのぶから剝き物の特徴を聞いた時、少しずつ輪郭を持ち始めた捨吉という人物が、澪の中で佐兵衛とぴたりと重なった。

「しのぶさん」

揺れる声で呼び、澪はしのぶににじり寄る。

「捨吉というそのひとは、歩く時に何か癖がありませんでしたか？」

「癖？」

しのぶはよくよく考えて、答えた。

「癖と言えるのかどうか……。ただ、どちらの肩だったか、少し下がっていたように思います。まるで肩に何か載っているみたいに」

ああ、と澪は両の掌で口を覆う。

澪さん、としのぶは澪の肩に手をかけて揺さ振った。

「それでは、捨吉さんは澪さんの探している若旦那さんなの？」

こっくりと澪は頷く。

僅かに開いた障子の隙間から絹糸のような雨がこちらを覗いていた。

しのぶさん、と澪は掠《かす》れた声で問いかける。

「教えてください。お薗さんは今なお、若旦那さんのために身を？」

いいえ、としのぶは強い声で打ち消した。

「捨吉さんの懇願《こんがん》で、ずっと前にもう。私がふたりを知ってから半年ほどで捨吉さんは漸くお元気になられて、それ以後は、もともとの釣り忍売りに加えて植木職の手伝いで、日銭を得ておられます。見るからに仲睦《なかむつ》まじい夫婦で、先月、子も授かっておられますよ」

お花《はな》という名の女の子です、としのぶは目もとを和らげる。似た過去を持つおんなの幸せを、我がことのように喜び、心から祝福している様子が見て取れた。

そう、と澪は小さく息を吐いた。

「澪さん、私にも教えてくださいな。捨吉さん、いえ、佐兵衛さんは、ご自分がひとを殺めたと思い込んでいるから、母親に会うことが出来ないのですね」

しのぶに問い質《ただ》されて、澪は、おそらく、と頷いた。昨夜、芳に問われてから幾度も考えたが、それ以外、佐兵衛がつる家を訪ねて来ない理由に心当たりはない。

わかりました、としのぶは深く頷いた。

「それなら私は佐兵衛さんに、澪さんから聞いた詳細を伝えましょう。このままではご寮さんがあまりにお気の毒だもの。ただ……」

躊躇《ためら》いがちに、しのぶは言い添える。

「息子の嫁が春を鬻《ひさ》いだおんな、というのは、ご寮さんにとっては耐え難《がた》いことかも知れません。大事な店の跡取りならば、なおのこと……。とかく血を分けた者は、そうしたおんなが家に混じるのを疎《うと》みますから」

しのぶの声にしんとした哀《かな》しみが混じる。生家のために十七で吉原へ身売りした時、親から義絶されたしのぶ。身請けされたあとも、藤代屋の本宅の敷居を跨《また》ぐことを許されていないのだろう。澪はその胸中を思い、黙った。

「お薗さんのことをご寮さんに話すかどうかは、澪さんの判断に委《ゆだ》ねます。佐兵衛さんのことは私に任せてください。彼岸《ひがん》までに必ず説得して、ご寮さんと再会できるようにしましょう」

彼岸までに、と繰り返し、澪はしのぶに深く頭を下げた。

暇《いとま》を告げて旅籠を出る。傘を手に、川筋に向かって歩いている時、見覚えのある店を見つけた。料理屋「一柳《いちりゅう》」の店主、柳吾《りゅうご》に案内された瀬戸物商だった。

匂いと味がわからなくなり、料理人としての自らを見失っていた澪を諭《さと》し、励《はげ》ましてくれた柳吾。彼ならば佐兵衛のことも知っているし、相談に乗ってくれるのではないか。そう考えたものの、澪は軽く頭を振った。芳が直接、柳吾に相談するならばともかく、主筋のことを奉公人が他人に相談できる道理もない。

とぼとぼと歩き続け、ふと傘を傾ければ、飯田川にかかる俎橋《まないたばし》が目に映った。考えをまとめられぬまま、ここまで辿《たど》り着いてしまった。

淡い雨越しに俎橋を眺めつつ、昨夜のしのぶの様子を思い返す。芳の事情を聞いた上でなお佐兵衛のことを話さなかったのは、しのぶ自身のためではない。しのぶは、芳の気持ちを忖度《そんたく》し、その上でお薗の幸せを守りたかったに違いなかろう。

どう話せば良いのか、と澪は俎橋をぼんやりと眺めた。

「お澪坊」

つる家の前を行きつ戻りつしていた種市が、俎橋を渡る澪の姿を認めて駆け寄った。

「どうだった、若旦那のことは何かわかったのか」

「旦那さん、遅くなって済みません」

澪は頭を下げ、種市の問いには答えずに、勝手口に続く路地へと駆け込んだ。

おい、と種市の声が後ろから追いかけてくる。

調理場では、芳とおりょう、りうとふきとが土間にしゃがみ込んで、枝豆を軸から外《はず》しているところだった。

「ああ、澪ちゃん」

おりょうが振り返り、上擦《うわず》った声で言う。

「皆から聞いたよ。朝早くから大変だったね」

平静を装おうとして、おりょうは軽く咳《せき》ばらいをした。芳が膝を伸ばし、強張《こわば》った顔を澪に向ける。澪はどんな表情をすれば良いかわからず、視線を逸らせた。

「どれ、ふきちゃん、井戸端でこの枝豆を洗うのを手伝っておくれでないか」

りうが外した枝豆を笊《ざる》に入れて、よいしょ、と抱《かか》えた。

「お澪坊、頼むから答えてくんな。藤代屋のお内儀から、何か聞き出せたのか」

りうとふきの抜けたあと、店主は澪の顔を覗き込んで強い口調で問うた。

澪は、言葉を選びながら唇を解く。

「お内儀さんの知る釣り忍売りのひとは、捨吉、と名乗っているそうです。そのひとが若旦那さんかどうか、お話を伺《うかが》った限りでは、よくわかりませんでした」

「よくわからねぇって……。それじゃあ希望を持って良いのか、駄目なのか、少しもはっきりしねぇだろうが」

何てこった、と種市は頭を抱えた。

おりょうは、ご寮さん、大丈夫かい、と芳に労《ねぎら》いの声をかけた。芳は無言で、じっと澪を見つめている。澪は息苦しさを隠して、ただ、と続けた。

「ただ、藤代屋のお内儀さんは、内藤新宿に戻ったら、必ず捨吉さんを探し出して話してみるから、と。若旦那さんかどうかを確かめて、彼岸までには返事をする、と仰《おっしゃ》ってくださいました」

「わかったような、わからないような……とにかく、彼岸まで待てっていうんだね」

おりょうに念を押されて、澪は、はい、と頷いた。

「彼岸まで、か」

種市がぼそりと呟いた。

「苦しみやら迷い、悩みから解放された悟《さと》りの境地、ってぇのが彼岸の意味らしいからな。俺ぁ、ご寮さんの苦しみも彼岸までと思うことにするぜ」

枝豆ご飯、里芋の衣被《きぬかつ》ぎ、鰯《いわし》の辛煮、それに熱い茸汁《きのこじる》。膳の上に並んだ料理を見て、つる家のお客たちは季節が明らかに動いたのを知る。

「暑い暑い、と暮らしてきたが、そうか、今日はもう十五夜か」

衣被ぎを指で摘《つ》まんで、こいつを見るまで忘れてた、とお客が洩らした。

「生憎《あいにく》の天気で月は拝めねぇが、代わりに里芋と枝豆で月見気分に浸《ひた》ってくんな」

店主の声に、座敷のお客の顔が和《なご》む。

そうした遣り取りを耳にして、澪は随分と慰められた。それは芳も同じだったらしく、入れ込み座敷から戻った時、微笑みを浮かべていた。澪と芳はごく自然に眼差しを交わし、互いの心を探る。

私は動じひんさかい、何もかも包み隠さんと話してほしい――そんな芳の心の声が聞こえて、澪は今夜ふたりきりになったら全てを打ち明けよう、と密《ひそ》かに決心した。

その日の商いを終えて、店主に暇を告げると、そぼ降る雨の中を芳と帰路につく。

俎橋を渡り終えた時、芳は歩みを緩め、澪の名を呼んだ。

「澪、しのぶさんと何を話したか、ほんまのことを教えておくれやす」

雨が傘を鳴らす音で緩和《かんわ》されてはいるが、芳の声は随分と震えていた。

提灯を持つ手を僅かに上げて、澪は芳に真摯《しんし》な眼差しを向ける。

「ご寮さん、捨吉というひとは若旦那さんに間違いありません」

芳の手から傘が離れ、風に絡《から》め取られて俎橋の上を飛び、闇の奥へと吸い込まれた。

「澪、ほんまだすか。ほんまなんやな」

傘を差しかける娘の腕に取り縋《すが》り、身を震わせて芳は問いを重ねる。

「佐兵衛は病気と違うんか？　どこぞ悪いんと違うか？」

「確かに以前は病みやつれておられたそうですが、その……若旦那さんのために献身的に尽くすおひとが居られて、今はすっかりお元気で働かれておいでのようです」

澪の腕に縋ったまま、芳は膝から崩れ落ちる。良かった、佐兵衛、良かった、と繰り返して、芳は泣いていた。

澪は芳を抱き起こすと、固い声で告げる。

「ご寮さん、お話ししておかなあかんことがおます」

雨脚は弱いが、強風が提灯の火を脅かす。俎橋の向こうの町家も堅《かた》く戸を閉ざし、何処にも明かりは見えなかった。

唯一の明かりを奪われぬよう、提灯を手前に引き寄せ、風下の芳を庇うように立つと、澪はしのぶから聞いたお薗と佐兵衛のことを、包み隠さずに話した。

内藤新宿の宿場女郎、と芳は澪の台詞《せりふ》を繰り返す。

「ほうか、それで藤代屋のお内儀さんは、あの時……」

つる家で何も話さなかった理由に思い至ったのだろう、芳は小さく頷いた。

短く持った提灯の明かりが、澪の思い詰めた顔を照らしている。娘の気持ちを汲《く》んだのか、芳は柔らかく笑んでみせた。

「もしも、まだ嘉兵衛が健在で、天満一兆庵の江戸店も無事で、暮らし向きの苦労なんぞ何も知らんままやったら、しのぶさんの案じてはった通りやったかも知れん。店の跡取りに相応《ふさわ》しいお相手を、と躍起《やっき》になってたことだすやろ。けどなあ……」

江戸へ移り、寡婦《かふ》となって四年。裏店に暮らし、周囲の情を頼りに、懸命に働き慎《つつ》ましく生きてきた身。苦労した分、ひとの抱える切ない事情に目が行くようになった。

「せやさかい、しのぶさんの案じてはるようなことはおまへん。それどころか」

新たな涙が溢《あふ》れて、芳は揃《そろ》えた指で頬《ほお》を拭う。

「そのお菌さんというおかたは、佐兵衛にとっては命の恩人だす。あの子を医者にかけ、薬をやり、それこそ何年もかけて病から守り抜いてくれはった。感謝こそすれ、貶《おとし》めるやなんて、そないな罰当《ばちあ》たりなことが何で出来ますやろか」

「ご寮さん」

芳のひとととなりに今さらながら胸を打たれて、澪は涙ぐんだ。

ふたりの足もとに、先刻よりがらがらと湿った音が纏《まと》わりついている。芳は、ふっと音の方を見て、ああ、と声を洩らした。身を屈めて拾い上げたものを見れば、無残にも濡れ破れた紙と、柄《え》のついた竹の枠《わく》だった。竹の枠に糸がぶら下がり、そこに大豆《だいず》が結んであることから、赤子をあやすでんでん太鼓と知れた。

泥を払い、柄を持って軽く揺らす仕草をして、芳は仄《ほの》かに頬を緩めた。

「佐兵衛に子が……。お花ちゃん、いうんだすなあ」

先月生まれたと聞く娘は、芳にすれば血を分けた初めての孫になる。しのぶの話から窺《うかが》えるお薗の人柄に、間違いはないだろう。佐兵衛は元気になり、一家を支えている。そして、生まれて間もない赤ん坊。紛《まぎ》れもない、芳の家族なのだ。

嘉兵衛が亡くなってから、心細く辛い思いばかりだった芳の人生に灯《とも》が点《ひ》る。幸せの灯が。そう思った途端、澪の双眸《そうぼう》に涙が溢れた。

「どないした、澪」

口を覆って嗚咽《おえつ》を堪《こら》える娘に気付いて、芳は涙声になる。

「あほやなあ、何でお前《ま》はんまで泣くんだす」

芳は言って、澪の背中を優しく撫でた。

柔らかな湯気を立て、くつくつと鍋が煮えている。中身はふっくらとよく太った牡蠣《かき》だ。鍋に塗りつけられた白味噌《しろみそ》が出汁《だし》にほど良く溶け出し、甘く香っている。
澪、火傷《やけど》するんやないで
佐兵衛の優しい声がして、小鉢に装《よそ》われた牡蠣が差し出される。
「おおきに、若旦那《わかだん》さん」

澪は自分の声に驚いて、はっと目覚めた。

隣りを見ると、芳の敷き布団はすでに畳まれている。開いたままの引き戸から、井戸端で話し込む芳とおりょうの声が聞こえていた。

「昨日はお月見が出来んで、太一ちゃんも残念なことだしたなあ」

「いえね、ご寮さん、今年は閏《うるう》八月、葉月が二回あるからさ、お月見ももう一回やっちまおうと思ってね」

それはええ案だすなあ、と芳がころころと上品な笑い声を立てている。

しまった、と澪は慌てて身仕度《みじたく》を整える。昨夜は色々なことを思い、寝つきが悪かった。明け方近くになって、熟睡したらしい。あんな古い夢を、と思いつつも、澪はほのぼのと幸せだった。

洪水《こうずい》で孤児となり、天満一兆庵に奉公に上がった当初、泣いてばかりだった。そんな澪を気遣い、牡蠣船に連れ出して、牡蠣の土手鍋をご馳走《ちそう》してくれたのが、若旦那の佐兵衛だった。

「旦那さん、じきに若旦那さんが戻っておいでです」

澪は嘉兵衛の位牌《いはい》に手を合わせる。朝方の夢は正夢、と聞くし、吉兆《きっちょう》に胸が躍《おど》った。

「今日、朝のうちに一柳にお邪魔しようと思いますのや」

朝餉を済ませて箸を置き、芳はさり気なく切り出した。

「彼岸まで待ってから、とも思ったんだすが、一柳の旦那さんには佐兵衛のことをずっと気にかけて頂いてるし、今後のこともある、まずはご報告に伺おうと思うて」

今年の秋分は葉月晦日《みそか》、彼岸の入りまであと十一日。短いようでやはり長い。だが、佐兵衛の失踪《しっそう》から丸四年、四年の間、待ったのだ。

「指折り数える、いうんはこういうことだすなあ」

柱に貼《は》られた暦《こよみ》に目をやって、芳はつくづくと言った。


「ご寮さん、随分と朗《ほが》らかになったねぇ」

空いた膳を下げて来たおりょうが、入れ込み座敷の方を振り返る。

間仕切り越し、お客に乞《こ》われて、料理の説明をする芳の声が弾んでいた。

おりょうは汚れた器を流しに移しながら、

「若旦那のことが、もしも人違いなら、またぬか喜びになっちまうよ」

あたしゃそれが気懸《きが》かりでねぇ、と声を落とした。

昨年、浅草で佐兵衛を見かけて生存を確信し、喜びの涙に暮れた芳。だが、待てど暮らせど佐兵衛はつる家を訪ねては来なかった。心優《やさ》しいおりょうは、その折りの芳の哀しみを忘れていないのだろう。同じ懸念《けねん》は、種市もりうも、ふきも抱いているに違いなかった。

一柳の柳吾とどんな話をしたのか、詳細はまだ聞いていない。だが、あの様子を見る限り、今後も柳吾は佐兵衛の力になることを約束してくれたのではなかろうか。つる家の面々に今は心配をかけているけれども、佐兵衛が戻ればきっと……。澪はそう思い直して、串打《くしう》ちの豆腐に味噌を塗った。


だが、それから三日が経ち、五日が過ぎても、佐兵衛はつる家へは現れない。芳は徐々に弱気になっていた。

「彼岸まで、言わはるんは、秋分を挟んで計七日もある間のことやろ。まだまだ刻はあるさかい、あんまり案じんかてよろし」

芳は窶《やつ》れた表情で、自身に言い聞かせるように澪に繰り返した。

そして、葉月も残り二日という朝。

今日の献立の下拵《したごしら》えも済み、澪はひと月前に作った干瓢を具《つぶさ》に見ていた。干瓢は黴《かび》易《やす》いし、虫がつき易く油断できないのだ。まして素人《しろうと》が作ったものだから、近いうちに使ってしまった方が良いかも知れない。端を千切《ちぎ》って口に含むと鄙《ひな》びた味がした。

干瓢は地味ながら、奥行きのある出汁が引ける。味付けも自在で、どのような食材とでも仲が良い。どちらかと言えば脇役の存在だが、生まれて初めて手作りした干瓢に、澪は深い愛着を感じていた。干瓢があればこその料理なら「あれ」だわ、と澪は頬を緩めた。

「澪姉さん」

背後からかけられた声に振り向けば、笊を取り入れにいったふきが、手に文《ふみ》らしきものを持って立っている。

「どうしたの？ ふきちゃん」

「今、小さな子がこれを持って来て、この店のおんなのひとに渡してくれって」

ふきが差し出すものを受け取って見れば、折封《おりふう》された文だった。表書き上段に宛名はなく、下段、差し出し人の名を記す位置にただ一文字「捨」とある。

捨、と小さく呟いて、澪ははっと眼を見張った。

捨吉の「捨」ではないのか。

「ご寮さん、ご寮さん」

澪は調理場を飛び出して、入れ込み座敷に駆けあがる。飾り棚に花を飾っていた芳は、その声に驚いて振り返った。

「どないしたんだす、そないな声だして」

「ご寮さん、これを」

澪が差し出す文を怪訝《けげん》そうに受け取り、芳は同じく表を見て顔色を変えた。

澪と眼差《まなざ》しを交え、震える手で折封をぱさぱさと開く。何事か、と種市とおりょう、りうが集まってきた。

「ああ……」

文を一読して芳は低く呻いた。顔から血の気が失せて紙の如く白い。両の手で口を覆い、畳に突っ伏した芳を見て、種市は落ちた文を拾い上げた。

「お澪坊、こいつぁ若旦那からの文か」

脇から覗き込めば、見覚えのある佐兵衛の筆で、天満一兆庵の佐兵衛はもうこの世に居ないものと思って以後は決して探さないでほしい旨《むね》、短く綴《つづ》られていた。そこには母への労《いたわ》りなど微塵も見受けられない。斬りつけるに近い冷徹な文だった。

澪は種市から文を奪うと、

「若旦那さん、何で、何でだす」

と、吠《ほ》えた。

「ふき坊、この文を届けたのはどんな奴だ」

種市の大声に、ふきは震え上がった。

「六つくらいの女の子です。飴《あめ》をくれたひとに頼まれた、と」

それを耳にした芳は縺《もつ》れる足で座敷を抜け、佐兵衛、佐兵衛と声を絞《しぼ》りながら表へ飛び出した。すぐさま、種市があとを追い駆ける。

「澪ちゃん、一体これはどういうことだい」

文を手にして震える澪に、おりょうが咎《とが》める声で問うた。

澪の知る佐兵衛は、心優しく親思い。どう間違えてもこのような文を送りつけるひとではない。幾度読み返しても理解出来ないまま、澪は芳を追って表へ飛び出した。

芳は表通りを行きつ戻りつして、佐兵衛の名を呼んでいる。道行くひとが足を止め、

「孫でも子盗《ことと》りにあったのか。可哀想に」

と、気の毒そうに眺めていた。

俎橋の欄干《らんかん》に取り縋って泣く芳の肩を、りうが抱いて立たせる。とにかく戻りましょう、と老婆に促されるがまま、芳はよろよろと歩いた。澪はただ立ち尽くすばかりだった。

「一体どういうことなのか、ともかく、内藤新宿に行って確かめた方が良い」

項垂《うなだ》れる芳を気遣いつつ、種市は提案した。

「お澪坊、店のこたぁ良いから、ご寮さんと」

種市の言葉を裂くように、澪さん、澪さん、と誰かが入口で叫んだ。

声の方を見て、一同が腰を浮かす。

履物《はきもの》を脱ぎ捨て、転がるように座敷に上がったのは、しのぶだった。

「大変です、捨吉さん一家が昨日のうちに裏店から姿を消してしまいました」

「何が……一体何があったんだすか」

取り乱したまま芳はしのぶの両の腕を摑み、激しく揺さ振った。ご寮さん、と澪が割って入ってしのぶを解放する。

「澪さんと会ったあと、幾度も裏店を訪ねたのですが、捨吉さんは植木職の親方の手伝いでずっと不在で……漸《ようや》く話せたのが二日前のことです」

澪から聞いたことを伝え、ご寮さんが待っているから、と話したのだが、自分は佐兵衛ではない、天満一兆庵など知らない、の一点張りだった。半《なか》ば叩《たた》き出されるようにして別れたが、気になって今朝また訪ねたところ、部屋は蛻《もぬけ》の殻《から》になっていた。

「花魁《おいらん》を殺めていない、と聞いた時、確かに安堵《あんど》したように見えました。てっきり、つる家へ飛んでいくとばかり思っていたのに。よもやこんなことに……詫びる言葉もございません」

しのぶは芳に両の手をついて詫びた。

芳は虚《うつ》ろな目を天井に向ける。

「私の何が、天満一兆庵の何が、ここまであの子に忌《い》み嫌われるんだすやろか。捨吉て、これまでの人生を捨てるような名ぁ名乗って」

か細い、消え入りそうな芳の声だった。

種市は懐から巾着《きんちゃく》を取り出すと、澪の前に差し出した。

「お澪坊、今日は店は休みだ。これからご寮さんと内藤新宿の佐兵衛さんの家へ行ってみてくんな。駕籠《かご》を使うと良い。藤代屋のお内儀さん、ふたりをその裏店へ連れてってやっておくんなさいまし」

澪としのぶが、はい、と声を揃えた時に、芳が小さく、しかしはっきりと、あきまへん、と言った。

「あきまへん。澪はつる家の料理人だす。こないなことで店を休んでは、お客さんに申し訳が立たしまへん」

「ご寮さん、場合が場合じゃないか」

見かねたおりょうが言い募《つの》る。

「澪ちゃんだってそうだろ？　こんな時に仕事だなんて無理だよね」

澪の目は調理台に向けられていた。そこには下拵えの済んだ食材が、調理されるのを今か今かと待っている。身を開き、白味醂《しろみりん》に醬油《しょうゆ》と酒で下味を入れた鰯は、白胡麻をたっぷりと塗《まぶ》し、天日で半日干して、夕餉の献立に用いるつもりだ。塩をした鯖《さば》もそろそろ調理にかからねば台無しになってしまう。早く早く、と食材たちが料理人を呼んでいた。

澪は視線を調理台から芳へと移した。憔悴《しょうすい》した中にも諭すような芳の眼差しを受け止め、唇を引き結ぶ。旦那さん、と澪は種市に向き直った。

「旦那さん、今日も変わらず暖簾を出させてください」

深く頭を垂れる娘に、種市は眉根を寄せる。

「若旦那の消息に関わることなんだぜ」

「料理人の務めは料理を作ることですよ」

歯のない口を窄めて、りうが続けた。

「ご寮さんについて行くなら、この店で一番、手の空いてるひとが良いでしょうよ」

一番手の空いてる、と繰り返して、店主はさて、と視線を廻らせる。奉公人一同、じいっと店主を見つめていた。

朝からの上天気は昼以後も続き、空気も乾いて干しものには良い一日になった。お蔭で鰯の味醂干しも最上の出来栄えで、つる家に夕餉を食べに訪れた多くのお客を満足させた。店主と芳の不在を、おりょうとりう、それにふきがきびきびと働いて、補《おぎな》う。澪は澪で、料理に専念することで雑念を払うことが出来た。

その夜、種市と芳とが戻ったのは、つる家が暖簾を終《しま》い、片付けも終えた頃だった。

「それじゃあ、帰りに一柳にも寄って？」

疲労困憊《こんぱい》のふたりにお茶を勧めて、りうは問いかけた。

返事の代わりにずっと熱いお茶を啜ると、種市は大きく息を吐いた。

「今んとこ、江戸での佐兵衛さんを知っているのは、一柳の旦那だけだからよう。それに、俺なんかよりよっぽど頼りになるからな」

組橋から内藤新宿まで、およそ一里（約四キロ）。往復しても一刻（約二時間）と、存外近い。しのぶの先導で佐兵衛の暮らしていた裏店へ行ってみれば、家財も一家の姿もなく、部屋の隅にそれまでの店賃《たなちん》が隠すように置かれていた。周辺を聞いて回ったが手がかりも摑めず、思い余って一柳の柳吾を訪ねたのだという。

「一柳の旦那さんは、何て仰いましたか」

海苔《のり》を炙《あぶ》る手を止めて、澪は遠慮がちに問うた。芳は目の下に色濃く疲れを滲《にじ》ませたまま、ひと言、ひと言、嚙み締めながら答える。

「そこまでするには、思いもよらん事情が……何ぞ深いわけがあるんやないか、て」

自分は佐兵衛の人柄をよく知っている、だからこそ、そうに違いないと断言できる。柳吾はそう言って、芳を慰めたという。

「一柳の旦那に言われて、漸く、ご寮さんも息がつけたみたいで、俺もほっとしたのさ」

種市は溜息交じりに言った。芳の身に起きた出来事を受け止めかねて、あとは誰も口をきかず、身じろぎひとつしない。ただ澪だけが調理台で料理を続けた。

巻き簾《す》に置いた炙りたての海苔に酢飯《すめし》を広げ、甘辛く味を入れた干瓢を載せて、くるりと巻く。江戸に出てきて初めて知った「海苔巻」という寿司《すし》だ。

具が干瓢のみの巻き寿司は、大坂では見たことも食べたこともなかった。江戸で生まれた浅草海苔と、江戸っ子好みの甘辛い干瓢の取り合わせの妙。酢飯の量も少なく、細く巻き上げたものは、食欲のない時でもすんなりと胃の腑《ふ》におさまってくれる。

澪の海苔巻には、卸し山葵《わさび》が加えてある。ぴりりと辛い山葵が、疲れ果てたふたりにほど良い刺激を与えて、束の間、元気にしてくれるだろうことを願い、心を込めて巻き上げた。少し迷ったが、摘まみ易いように一本を長めの三つに切る。平皿に横にして並べると、板敷に運んだ。

ほう、旨そうだ、と無理にも店主は明るく言い、海苔巻に手を伸ばす。

「こいつぁ……」

眼を閉じて咀嚼《そしやく》して、店主は軽く唸《うな》った。傍らの芳が両の手を膝に置いたままなのを見て、平皿を芳の方へと寄せる。

「ご寮さん、食ってみな。慰められるぜ」

それでも俯《うつむ》いたままの芳に、種市は自ら海苔巻をひとつ摘まんで、ついと差し出す。

芳は仕方なさそうに受け取った。

長めに切られた海苔巻は、ひと口では収まらず、まずは半分を口の中へ。きゅっと嚙んで、芳は軽く眼を見張った。嚙み進めるうちに、芳の目尻《めじり》に涙が浮く。美味《おい》しおますなあ、としんみり呟いて、残る半分を口にした。

暗いばかりの調理場に一条の陽が射したようで、澪たちは安堵の視線を絡めあった。

「ああもう、あたしゃ我慢できませんよ」

澪さん、こっちにもひとつくださいな、とりうが努めて陽気な声を上げた。

月の出の遅い夜、障子の外は星明かりで仄かに明るい。ふきの健《すこ》やかな寝息が規則正しく続いていた。澪は芳の心労を思い、眠れぬまま寝返りばかりを打った。

澪、と芳の囁《ささや》く声が聞こえて、闇の中でそっと半身を起こす気配がした。

ご寮さん、と応じ、ふきを起こさぬよう、澪もまた夜着《よぎ》を捲《めく》った。

「えらい心配かけてしもた。お前《ま》はんには、いっつも心配かけてばかりだすなぁ」

堪忍しとくれやす、と芳は詫びる。

澪は、いいえ、と小さく応えるばかりだ。どれほど言葉を尽くしても、芳の失意を埋めることなど出来ない。そんな娘の胸中に気付いたのか、

「私なら大丈夫だす」

と、芳は柔らかな声で告げた。

「澪、四年前のこと、覚えてるか？」

芳の問いかけに、あの頃の記憶が蘇《よみがえ》る。嘉兵衛と三人、江戸に出てきたものの、佐兵衛は行方知れずになっていたのだ。土地に不慣れな上、誰ひとり頼れるひともない。そんな中で佐兵衛を探し求めた日々。忘れられるわけもない。

ふたりして黙り込んだあと、芳は先に唇を解いた。

「今夜、一柳さんからの帰り道で思たんだす。四年前と違い、今は親身になって心配してくれはるひとが居る。相談に乗ってくれはるひとも居る。四年前に戻ったわけや

ない、佐兵衛が生きてるんも、所帯を持って子に恵まれたことも知れたんだす。そう思たら、大分と元気になりました」

どないな事情があるのか、今は知る術《すべ》もないけんど、腹を括《くく》って待ってみようと思います、と芳は哀しげに結んだ。


新月は一日、満月は十五日、と月の形でおおよその日付がわかるのはありがたい。ただ、月の満ち欠けを基準に暦を決めると、少しずつ季節との間に齟齬《そご》が出来る。このため、およそ三年に一度、閏月を設《もう》け、一年を十三か月として調整する必要があった。文化十三年（一八一六年）の今年は、葉月のあとに、閏月が設けられていた。佐兵衛のことで何とも割り切れない気持ちのまま葉月を終え、閏八月に入った。同じ月を繰り返すようで、ともすれば気が重くなるのを、澪は何とか堪えた。

「ふう、今日も一日、暑かったねえ。ここ二日ほど、何だか季節が夏に戻ったみたいだよ」

顎の下に溜まった汗を手の甲で拭って、おりょうは襷《たすき》を外す。家で待つ太一のために、皆よりもひと足先に仕事を終えた。

「こんなに暑いとお湿りが欲しいねえ」

勝手口から狭い空を覗いて、おりょうはうんざりした声で独り言を洩らした。

店主がのんびりと応じる。

「そう言やぁ、十五夜に降ったきりだから、そろそろじゃねぇか」

柄杓《ひしゃく》の水を飲んでいたりうも、こくこくと頷いた。

「雨が降れば少しは涼しくなりますからね。でも、土砂《どしゃ》降りだけは、あたしゃごめんですよ」

つる家でそんな会話が交わされた翌日、閏八月三日のことだった。

彼岸も今日で終わり、という朝、家を出る頃から雨になった。恵みの雨、という言葉が似合う優しい降り方で、江戸の街並がほっと息をついている。澪は足もとを気にしながらも、こういう雨なら良いわ、と思った。

雨脚が一変したのは、つる家が暖簾を出した直後だった。

調理場で鯊《はぜ》の天麩羅《てんぷら》を揚げている時、胡麻油の鳴るよりも大きな音が聞こえた気がして、澪は顔を上げた。開いたままの勝手口から、路地を叩く雨が覗いた。あまりに強い雨で地面が白く煙って見える。

大変、とふきが引き戸に手をかけたまま、外を覗き見た。

「澪姉さん、空が真っ黒です」

澪に呼びかけるふきの声も、屋根を叩く雨音で鮮明には聞こえない。

「ふきちゃん、そこを閉めて頂戴」

震える声で澪が言った時、少女の背後が青白く光った。次の瞬間、ばりばりばり、と耳を劈《つんざ》く雷鳴が轟《とどろ》く。両耳を押さえて蹲《うずくま》りたくなる衝動を、澪は辛《かろ》うじて堪えた。

表通りをひとびとが右往左往したのはほんの僅かの間で、激しい風雨はじきに通行人の気配を根こそぎ消し去った。

「澪、大丈夫か」

芳が澪を気にかけて、調理場を覗く。

真っ青になりつつも、澪は辛うじて、大丈夫です、と応えた。

「不味《まず》いことになるといけねぇ。おりょうさん、悪いがりうさんを家まで送って、そのまま今日はもう帰ってくんな」

車軸を流すがごとき雨は一向に弱まる気配を見せず、九つ半（午後一時）には、種市は店を終うことに決めて、おりょうとりうを帰した。

「旦那さん、私と澪はここに」

「無論だとも。あんな様子のお澪坊を雨の中、帰らせるわけにいかねぇよ」

料理をしないと決まると、澪は板敷に蹲ってがたがたと震えるばかりだ。激しい雨風の音、湿った臭《にお》い、そして雷鳴。忘れたはずの記憶が蘇って澪は気を失いそうになっていた。

「澪、先に二階で休ませて頂きまひょ」

芳は言って、娘を抱くようにして立たせた。

夜になっても、夜中になっても、屋根を叩く激しい雨音は止《や》むことがない。狭い座敷に女三人身を寄せ合って恐怖に耐える。

一睡《いっすい》も出来ぬまま夜を過ごして、翌、四日。天の底が抜けたのかと思うほどに、雨はなおも激しく降り続いていた。

「つる家は川に近《ちけ》ぇし、万が一の場合もあるから」

付け火に遭っても大丈夫なように、と新店を武家地近くの川の傍《そば》にした。その責任を感じているのか、種市は飯田川の水位を気にして、ずぶ濡《ぬ》れになりながらも、幾度も様子を見に行った。澪も芳も十四年前の淀川《よどがわ》の決壊を思い返し、生きた心地もしない。一心に神仏に祈るよりなかった。

夕刻近く、徐々に空が明るくなって、二日続いた雨も漸《ようや》く小降りになった。周辺の様子を尋ねてつる家へ戻った種市は、ひどく青ざめていた。

「江戸中、いたるところで被害が出たそうだぜ。ことに本所《ほんじょ》深川の辺りは浸水してえらいことになってるんだと」

死者も多く出たらしい、と聞いて、芳は僅かにふらついた。慌てて手を差し伸べ、澪は芳の身体を支える。

大丈夫だす、と気丈に言うが、佐兵衛の身を案じているに違いない。たとえどんな事情があろうとも、芳にここまで心配をかける佐兵衛のことが、澪は内心、恨めしかった。

「とにかくまぁ、明日にはもっと詳しい様子がわかるだろう。今夜はとっとと寝ちまおう」

芳と澪のそれぞれの心中を察したのか、種市の声には労《いたわ》りが滲んでいた。

翌朝、東天に陽が上ると、九段坂沿いの家々は三日ぶりに戸を開け放ち、隣戸同士、無事を確認し合った。身の無事、住まいの無事がわかれば、次に案じるのは「水」であった。

「泥の味まではしないが」

つる家では、井戸から汲み上げた水を飲んで、店主がくよくよと頭を振る。

「この水じゃあ、旨い飯を炊くのは無理だな」

井戸の水は地下水ではなく上水、もとをただせば川の水である。天候次第で渇水《かっすい》や増水を生じることもあり、水番が清浄を守るよう腐心《ふしん》しているのだが、今回のような豪雨となればそれもままならない。

「二、三日は、店は休むしかねぇな」

どのみち仕入れどころじゃねぇからな、と店主は肩を落とした。

りうとおりょうに事情を伝えるため、ふきを使いに出すと、種市は身仕度を整え始める。

「ご寮さん、お澪坊、済まねぇが俺ぁこれから、本所の方へ行ってくる」

石原町に昔よく世話になった恩人が住んでいるので、見舞いに行くというのだ。

「旦那さん、これをお持ちください」

澪は冷や飯を握り、竹筒に白湯《さゆ》を入れて店主に渡した。

種市が出かけたあと、澪は芳と手分けして、普段は手の回らない場所の掃除にかかった。澪は表の引き戸を取り払い、這《は》い蹲《つくば》って敷居の汚れを拭う。

目の前の通りを、いつになく大勢のひとが行き来していた。いずれも手に水桶《みずおけ》やら風呂敷包《ふろしきづつ》みやらを抱えている。種市のように出水見舞いに出かけるのだろう。

ふっと、雑巾《ぞうきん》を動かす澪の手が止まった。

出水騒ぎで芳が真っ先に佐兵衛を案じたように、佐兵衛もまた、第一に芳の身を案じるのではないか。

二階座敷で打ち払いをかける、軽い音が聞こえる。その音に耳を傾けながら、澪は考えた。佐兵衛が名を捨て、過去の自分と決別したとしても、死者も出た水害と聞けば……。ましてや佐兵衛は十四年前、大坂で罹災《りさい》した経験を持つ。

澪は雑巾を放して、表通りへと走り出た。

途切れることのないひとの群れを縫《ぬ》い、右往左往《うおうさおう》してその姿を探す。九段坂を上り終え、俎橋目指して下る。だが、増水した飯田川に近付くにつれ、足は重くなった。それでも何とか橋の袂《たもと》へ出て、目の前の川を目にした途端、澪は震え上がる。

少しは引いたと聞いたが、俎橋の下、茶色く濁った水は土手を侵《おか》し、次なる餌食《えじき》を待っていた。恐ろしさに腰が抜けてしゃがみ込む澪を、通行人たちは邪険にする。

「こんなとこで座られたら邪魔なんだよ」

済みません、と小さく詫び、手近な杭《くい》を支えに何とか立ち上がった。霞む目を俎橋に向けると、橋上に人垣が出来ていた。

「喧嘩《けんか》らしいぜ」

「こんな時に罰当たりな」

俎橋を渡ろうとしていたひとびとは、関わりを避けて引き返し始める。人垣が解けて、揉《も》み合うふたりの男の姿が澪の視界に入った。

初老の男が必死の形相《ぎょうそう》で、相手の胸倉を摑んでいる。男の顔を認めて、澪はあっと口を覆った。一柳の主、柳吾だったのだ。では、柳吾と揉み合う相手は……。

もがいていた相手の顔がこちらへ向く。頰被《ほおかぶ》りをしているが、確かにそのひとだ。

「若旦那《わかだん》さん」

澪は叫び、俎橋を渡ろうとした。だが、足が竦《すく》んでどうしても叶わない。

橋の上では柳吾が佐兵衛を放すまいとくらいつき、佐兵衛は全力でその腕を振りほどこうとしていた。齢《とし》の差が佐兵衛に分を与えて、柳吾は振り払われて転倒した。あっ、と佐兵衛は狼狽《うろた》えたが、相手が橋から落ちる危険がない、とわかると、走り去ろうとした。その足首を、柳吾の手が摑む。

今、行かなければ。

澪は下駄《げた》を脱ぎ捨て、文字通り死に物狂いで俎橋を駆けた。増水した川から無数の腕が伸びて澪を引き摺《ず》り込もうとする幻が見える。澪は、お父はん、お母はん、と胸の内で叫んで橋を駆け上がった。そうしてそのまま、捨て身で佐兵衛に飛びつく。

「若旦那さん、あかん、逃げたらあかん」

澪の加勢を得て、柳吾は素早く起き上がり、佐兵衛の肩を押さえ込んだ。

「観念なさい。お前さんならば、きっと母親の無事を確かめにこの場所へ来る、と思っていましたよ」

姿を消す前に芳さんに申し開きをなさい、と諭されて、佐兵衛はがっくりと肩を落とす。柳吾の目が澪に向けられた。澪は弾《はじ》かれたように立ち上がり、ご寮さん、ご寮さん、と涙声で呼びながら、つる家へと駆け抜けた。


「佐兵衛」

つる家の入れ込み座敷で息子と対峙《たいじ》した芳は、しかしその名を呼んだきり絶句した。

天満一兆庵の江戸店ができ、別れて暮らすようになったのが八年前、そしてこの四年は行方知れずだった佐兵衛なのである。

継《つぎ》だらけの粗末な藍染《あいぞ》めの衣《ころも》、同じく色褪《いろあ》せた藍染め手拭いの頬被り。齢を重ね、暮らし向きの苦労が風貌《ふうぼう》にも影を落とす。ただ、大坂の天満一兆庵で見慣れた佐兵衛とは別人のようでいて、芳によく似た面差《おもざ》しは損なわれていなかった。その佐兵衛は先刻より、掌を握り締めて腿《もも》に置き、芳から顔を背《そむ》けたきり身じろぎひとつしなかった。母と息子の再会を、柳吾と澪は黙って見守る。

「佐兵衛、旦那さんが亡《の》うなりました。四年前の皐月《さつき》のことだす」

掠れた声を、芳は絞り出した。

江戸店を出した三年後、大坂の店が類焼で無くなり、次の年に嘉兵衛と芳と澪の三人で江戸へ下ったものの、江戸店は既《すで》に人手に渡っており、佐兵衛は行方知れず。心労から、嘉兵衛は天満一兆庵の再建を願いながら息絶えた。

芳の切れ切れの話を聞き終えても、佐兵衛は無言を通す。だが、小刻みに震える両の拳《こぶし》と、下瞼《したまぶた》に薄く溜まった涙とが、その心中を物語っていた。

「佐兵衛、お前はんの手ぇで何とか、旦那さんの夢を叶えてほしいんだす」

芳は息子ににじり寄って、その拳を自身の掌で包んだ。お願いだす、この通りでおます、と芳は揺れる声で言い募り、息子に頭を下げた。佐兵衛は母親から目を背けたまま、何の言葉も発しない。しかし、戦慄《わなな》く唇や小刻みに震える顎を見れば、嗚咽を堪えているのがわかった。

「佐兵衛、何で黙ったままだすのや。何でなにも言うてくれへんのや」

息子の沈黙に耐え切れなくなった芳が、佐兵衛の両腕を摑んで激しく揺さ振った。

そうされて初めて、佐兵衛は母を見て、お母はん、と割れた声で応えた。

「堪忍してください。私はもう、料理の道に戻る気ぃはおまへん」

そのひと言が、芳の胸を射抜《いぬ》いた。芳は息を止めたまま、茫然《ぼうぜん》と息子を見ている。自身の言葉がどれほどの衝撃を与えたかを察して、佐兵衛は畳に両の手をついた。

「言い訳はせえしまへん。ただ、天満一兆庵の江戸店を江戸一番の料理屋にしたい、その気持ちが強すぎて、料理を争いの道具にしてしもた。してはならんことにまで手を染めようとした。そないな自分に心底嫌気《いやけ》が差したんだす。もう料理とも天満一兆庵とも関わりのう生きたい。その一心で名前も変え、今日までお母はんに会うこともようせんかったんだす。あないな文まで書いて……」

堪忍しとくれやす、と繰り返し、佐兵衛は畳に額を擦りつける。

澪、澪、と芳は助けを求めるように澪に向かって腕を差し伸べた。澪は思わず立ち上がり、芳の傍らへ移ってその肩を抱く。息子の決心を受け止めかねて、芳はがたがたと震えるばかりだ。

それまで黙って、ふたりの遣り取りを聞いていた柳吾が、徐《おもむろ》に腕組みを解いた。

「お前さんが姿を消して暫《しば》くあとのことだ、富三という料理人が一柳を頼ってきたことがありました」

富三の名が出たことに驚いたのだろう、佐兵衛がはっと顔を上げた。澪と芳も初めて知る話で、思わず柳吾に見入る。

「番頭の勧めもあり、暫くはうちの板場に置いたのだが、裏表の激しい、腹の黒い男でした。蛭《ひる》に似て、こちらの隙をついて身近に迫り、気付かぬうちに血を吸う。なまじ育ちの良いものは簡単に奴を信用し、騙《だま》されてしまう」

自分のことを言われた、と思ったのだろう。芳と佐兵衛は恥じ入る如く目を伏せた。だが、澪は柳吾の声にやり場のない怒りが混じるのを感じていた。恐らくは坂村堂のことを指しているのだ、と悟る。坂村堂は富三が一柳に居た、という一事のみで料理番として雇い入れてしまったに違いないのだ。

「うちの厳しい仕込みが合わなかったようで、向こうから辞めてくれましたが、雇《やと》われ料理人にしては、妙に銭の臭《にお》い移りのする男でした。泡銭《あぶくぜに》を手にしたものが見極《みきわ》めもなく散財する姿を幾度か目にしたことがあるが、それと同じ臭いがした。主の放蕩《ほうとう》で天満一兆庵は潰《つぶ》れた、と吹聴《ふいちょう》していたが、おそらくは富三が何らかの形で店の乗っ取りに加担していたのだろう、とあとになって気が付きました。主が奉公人に背かれて店を失うほどの恥はない。その恥を知ればこそ、誰にも話せないものです」

佐兵衛さん、さぞや辛かったことでしょう、と柳吾は佐兵衛を労《いた》わった。その言葉を聞いた途端、佐兵衛の双眸から涙が噴き出した。畳に突っ伏して号泣する息子の姿に、芳は胸を突かれた表情になった。佐兵衛、と名を呼んでその背にそっと手を置く。

息子の気持ちに寄り添おうとする母の姿がそこに在った。

佐兵衛は詳細を語らぬものの、今の柳吾の話と重ねあわせれば、富三も一枚嚙んだ陰謀に巻き込まれ、奉公人たちからも背かれて、店を失う羽目になったのだろう。しかし、仮にそれだけならば、佐兵衛のことだ、何としてでも這い上がり、再び暖簾を掲げることもしたはずだった。それが可能な腕を持ちながら、何故《なぜ》、そうしなかったのか。ひとを殺めた、と思い込んでいたことだけが理由だろうか。澪は懸命に考える。

佐兵衛は「料理を争いの道具にした」と先ほど話していた。「してはならんことにまで手を染めようとした」と。それをしたことで、佐兵衛は料理人としての自分自身を許せなくなったのではないか。元来、己に厳しい佐兵衛ならばこそ、そうであったに違いない。料理人としての自身を葬《ほうむ》らんがため、名を捨て、芳にも決別の文を書き送ったのだ。それならば、得心がいく。

ああ、若旦那さんはもう二度と包丁を持ちはらへんのやわ。

澪の胸一杯に、表現しようのない寂寥《せきりょう》が広がっていく。

佐兵衛はまだ泣き止まず、その背を撫で続ける芳もまた、静かに涙を流していた。

過剰な雨で泥土《でいど》と化した道を、高く上がった陽が懸命に乾かしている。

「住むところが決まれば、必ず連絡します。お薗とお花にも逢《お》うたってください。これまでの親不孝の分、別の形で、充分に償《つぐな》いをさせて頂きとうおます」

胸の閊《つか》えが取れたのか、佐兵衛は来た時とは別人かと思うほど穏やかな表情をしている。

「必ずですよ」

柳吾は強く釘《くぎ》を刺した。

橋の袂《たもと》まで送ることになり、柳吾と芳が先に歩く。芳を気遣い、柳吾が穏やかに話しかけていた。澪は佐兵衛の後ろをとぼとぼと歩く。

佐兵衛が料理の道を捨てたなら、天満一兆庵の再建はどうなるのだろう。

考えれば考えるほど、歩みは遅くなり、皆と距離が出来た。佐兵衛は澪を気にかけて戻り、歩調を合わせる。そのうち、佐兵衛の方が歩みを止めた。

「澪、お前《ま》はんだけには伝えておいた方がええやろ」

逡巡《しゆんじゆん》のあと、迷いを払った眼をしている。

「登龍楼にだけは決して関わったらあかん」

澪ははっと息を呑む。顔色が変わるのが自身でもわかった。

佐兵衛は前のふたりを気にしながら、声を低める。

「私は下手に関わったさかいに、結局、料理を捨てる羽目になった。何も知らんまま、一切、関わらんことや。わかったな」

柳吾と芳がこちらを振り向いている。ええな、と佐兵衛は念を押すと、先に立って歩いた。

人通りの多い俎橋を、佐兵衛は振り返り、振り返りして渡っていく。その姿が見えなくなるまで、三人はその場に佇《たたず》んでいた。佐兵衛の背中が完全に武家地の白壁の通りへ消えた時、芳は柳吾に深々と頭を下げた。

「一柳の旦那さん、色々と、ほんにおおきにありがとうさんでございました」

いやいや、と柳吾は緩《ゆる》やかに頭を振る。

「待ち伏せやら取っ組み合いやらで、齢を忘れることが出来ましたよ」

柔らかな笑顔を見せたあと、表情を引き締めて、柳吾は口調を違えた。

「親の一念で子の生き方を変えたとしても、何も良いことはない。今は受け容《い》れ難いでしょうが、佐兵衛さんの気持ちを何より大事にしてください」

柳吾の言葉に、へぇ、と芳は小さく頷いてみせた。

顔を上げれば、俎橋を三々五々、ひとびとが渡って行く。中に、若い夫婦と腹掛けをした七つほどの男児の姿があった。両親に手を繋《つな》がれ、幸せを独り占めした表情で、子は笑う。一点の曇りもない笑顔だった。三人は、黙ってその情景を眺めていた。

澪、と芳が傍らの娘を呼んだ。

「跡取りの佐兵衛が断念した江戸店の再建を、お前はんに託すことは出来ん」

思いがけない芳の言葉に、澪は声を失う。

芳は俎橋に目を向けたまま、低い声で続ける。

「もう天満一兆庵のことでお前はんを縛りとうはないんだす。嘉兵衛の今わの際《きわ》の言葉は、忘れておくれやす」

ご寮さん、そんな、と取り縋《すが》る娘の手を、芳は優しく握った。

「ひとの気持ちも物事も、全てのことは移ろうていく。仕方のないことだす」

涙を堪え、諦念《ていねん》を語る芳の隣りで、柳吾は深く頷いてみせた。

眼下、幾分《いくぶん》水位の下がった飯田川に棹《さお》を差し、幾艘《そう》もの船がのんびりと行き交う。

濁った水面に、雨で磨かれた街並みと閏八月の蒼天とが美しく映り込んでいた。

みくじは吉——麗《うるわ》し鼈甲珠《べっこうだま》

出水騒ぎのあと一気に空が高くなった。まだ曙《あけぼの》色の残る天のもと、化け物稲荷《いなり》の神狐《しんこ》は、先ほどから大人《おとな》しく身を拭《ぬぐ》われていた。

「随分と汚れてしまって」

全身に浴びた泥水が乾いて白茶けて見えたその身を、澪《みお》は、濡《ぬ》らした手拭《てぬぐ》いで丁寧《ていねい》に清めていく。欠けた耳や折れた尾を労《いた》わる手つきで撫《な》でて、ごめんなさいね、と幾度も繰り返す。

以前はあれほど足繁《あししげ》く通っていたのに、今は忙しさを理由に滅多《めった》と足を運ばなくなった。自身の心の弱さを神狐に詫《わ》びて、最後に赤い前掛けをその首に掛けた。色褪《いろあ》せて汚れた前掛けを案じ、昨夜のうちに縫《ぬ》い上げておいたものだ。

「よく似合ってるわ」

真新しい前掛けの紐《ひも》をきゅっと結ぶと、澪はしげしげと神狐を眺《なが》めた。切れ長の優《やさ》しい瞳《ひとみ》は、幼い日の野江《のえ》とそっくりだ。相変わらず、ふふっと笑っているように見えた。

若旦那《わかだんな》が見つかったこと。天満一兆庵《てんまいっちょうあん》の再建を考えずとも良い、と言われたこと。芳の苦しい胸の内と、澪自身の身の置き所の無さ。神狐に打ち明けよう、とこの場所に来たけれど、神狐を見ていると、想《おも》うのは野江のことばかりになってしまう。

「神狐さん、どうか野江ちゃんを……野江ちゃんのことをお守りください」

摂津屋《せっつや》から無事は聞いたが、又次《またじ》亡き今、その消息をもたらすひとは居ない。

幼い日に洪水《こうずい》に遭《あ》い、騙《だま》されて廓《くるわ》へ売られ、今度は大火に呑《の》まれた。旭日昇天《きょくじつしょうてん》と呼ばれた野江なのに、何故《なぜ》、ここまでの仕打ちを受けねばならないのか。神仏に恨みの気持ちを抱きそうになって、澪は頭を払う。また来ますね、と神狐に約束すると、澪は膝《ひざ》を伸ばした。

普請《ふしん》場が近いのか、槌音《つちおと》が風に乗ってここまで届いていた。出水で傷《いた》んだ街を修復するかの如《ごと》く、力強い響きだった。

「お客さんですよ」

昼餉時《ひるげどき》を大分と過ぎた頃、りうの華《はな》やいだ声が、つる家《や》の入れ込み座敷に響いた。

濁《にご》り水も治まり、漸《ようや》く商いを再開できて五日目。調理場で賄《まかな》いを口にしていた店主の種市《たねいち》は、

「今頃に店に来ると言やぁ、坂村堂《さかむらどう》の旦那と偏屈の戯作者《げさくしゃ》先生じゃねぇのかよぅ」

と、端《はな》から注文を取りに行く気配もない。

芳《よし》は二階のお客に捕まったままだが、座敷にはおりょうが居るから大丈夫、と澪が思った時だった。

「澪ちゃん、済まないねえ」

おりょうが困惑した顔で、新しいお客の注文を通しに来た。済まない、という意味が分からず、怪訝《けげん》な表情の料理人に、おりょうはそっと間仕切りの向こうを示した。

「まあ、伊佐三《いさぞう》さん」

入れ込み座敷に座っているのは、おりょうの亭主の伊佐三だったのである。

「何だぁ、伊佐さんだぁ」

店主は入れ込み座敷を確かめると、自分の膳を抱えていそいそと板敷を降りた。

「どうにも調子が狂って仕様がないよ」

里芋《さといも》の旨煮《うまに》に、茄子《なす》の甘味噌《あまみそ》田楽《でんがく》、白飯に根深汁《ねぶかじる》。澪が仕上げた料理を膳の上に並べつつ、おりょうはしきりと照れてみせる。

「自分の家なら、ちっとも照れたりしないのにねぇ。お客として店に来られると、何とも恥ずかしくて仕方ないよ」

顔を赤らめると、おりょうは膳を座敷へと運んだ。そんなおりょうの様子が微笑《ほほえ》ましくて、澪は、ふきの包丁使いを見守りながらもついつい頰《ほお》が緩《ゆる》んだ。

二階座敷の長尻《ながしり》のお客が引いて、伊佐三もそろそろ食事を終えたかと思われる頃。

「澪、伊佐三さんが私《ま》とお前はんとに話がある、て言うてはります」

芳が調理場へ澪を呼びに来た。何かしら、と澪は襷《たすき》をはずして、芳のあとに従う。

「お前さん、何も今日でなくたって」

「こんな大事な話を先延ばしにする方が、不人情ってもんだろう」

「まあまあ、伊佐さんもおりょうさんも落ち着いてくんなよ」

入れ込み座敷では、伊佐三とおりょうが何やら揉《も》めていて、店主が懸命に両者を宥《なだ》めていた。伊佐三が芳と澪に気付き、女房の手を引っ張って自分の傍《かたわ》らに座らせる。

「おりょうさん、どないしはりました」

芳の柔らかな問いかけにも、おりょうは目を伏せて袖《そで》を弄《いじ》るばかりだ。芳の促《うなが》す視線を受けて、伊佐三は重い口を開いた。

「ご寮《りょん》さん、澪ちゃん、実は俺たちはあの裏店《うらだな》を引っ越そうと思う」

「えええっ」

澪と芳とが同時に声を上げる。

おりょうは、と見れば、肩をぎゅっと竦《すく》めて身を縮《ちぢ》めている。

「何でだす？　何で急にそないなこと……」

芳は狼狽《うろた》えて伊佐三に詰め寄った。芳にとっても、また澪にとっても、伊佐三おりょう夫婦がお向かいに暮らしている、というその一事がどれほど心の支《ささ》えになっているか知れなかった。清右衛門《せいえもん》から転居を勧められた際も、通いの不便を差し引いても、夫婦の居る裏店で暮らすことの安逸《あんいつ》を選んだのだ。

まあまあ、と種市が青ざめる芳を宥めて、伊佐三に水を向けた。

「伊佐さんよぅ、何でまたそんな話になるんだい。わけを聞かせてくんなよ」

伊佐三は自分の話がふたりをどれほど狼狽《ろうばい》させたかを悟《さと》り、弱った風に頭を振った。

「この間の出水で、親方がえらく気弱になっちまったのさ」

かれこれ一年前、伊佐三が親とも慕《した》う大工の親方が卒中風《そっちゅうふう》で倒れて、随分と長い間、おりょうと太一《たいち》が竪大工《たてだいく》町の親方の家へ詰めて世話を焼いた。その甲斐《かい》あって親方は元気になり、母子は伊佐三のもとへ戻ったが、その矢先の出水だったのである。

「元気になったとはいえ、まだ半身には不自由が残る。出水にしろ火事にしろ、思うように逃げられねぇのは辛《つれ》ぇよ」

先に亡くなったおかみさんを除いて、親方には身寄りはない。いっそ家族で移って来てくれないか、と懇願《こんがん》されたのだそうな。

「俺《おら》ぁ、親方には一生かかっても返しきれねぇ恩を受けたのさ。だからこの通りだ」

ご寮さん、澪ちゃん、堪忍してくんな、と伊佐三は畳に手をついて頭を下げた。

傍らで、おりょうも洟《はな》を啜《すす》って、

「つる家の仕事は変わらず続けさせてもらうのだけれど、ご寮さんが一番しんどい時に、あそこを引っ越すのが申し訳なくてね」

と、亭主を真似《まね》た。

芳は窶《やつ》れた顔を澪に向けて、小さく頷《うなず》いた。親方思いの夫婦の決断を快《こころよ》く受け入れよう、とその眼差《まなざ》しが語っていた。

親方の強い希望もあり、一家の引っ越しは二日後に行われることとなった。吹く風は少し肌寒いが、秋晴れのまさに引っ越し日和《びより》だ。

二枚の畳は捲《めく》られて、板が剝《む》き出しになっている。行李《こうり》や文机《ふづくえ》などがそこにまとめ置かれて、狭いはずの裏店の部屋も随分と広く感じられた。あとは積み込むばかりの荷の前で、太一がいつぞやの絵手本を夢中で見ている。

「澪ちゃんの握り飯か、ありがてぇや」

これから引っ越し作業を控《ひか》えている伊佐三は、差し入れの経木《きょうぎ》を開いて、眼《め》を細めた。大振りの三角の握り飯には、持ち易《やす》いように浅草海苔《のり》が巻かれている。

「ほんまは最後まで残ってお見送りさせて頂きとうおますが」

「止《よ》しとくれよ、ご寮さん、そんなことされたら、あたしゃ泣けてきちまうから」

残念そうな芳に、おりょうは鼻声で応《こた》える。

「それに今日はお休みをもらうけれど、あたしゃ、つる家を辞める気はさらさらないんだよ。住む家は離れちまうけれど、これからだって、これまでと少しも変わらない付き合いをさせてもらうつもりさ」

それより早くつる家へ行った行った、と急《せ》かされ、芳と澪は一家を見送るつもりが逆に見送られて、裏店をあとにした。

路地を抜ける時に振り返ると、親子三人、こちらに向かって深く首《こうべ》を垂《た》れている。会釈《えしゃく》を返す芳の瞳は濡れ、澪の視界も潤《うる》んだ。

「いつまでも同じままでは居られへんのやな」

寂《さび》しそうに、芳は呟《つぶや》く。応えようとして、澪は言葉を見つけることが出来なかった。

もう天満一兆庵の再建は考えずとも良い、と芳から言われて以来、澪には心もとない日々が続いていた。この四年、何の進展があったわけでもないが、それでも店の再建は確かに澪を形作る大切な目標であった。それが無くなった今、どうにも胸に風穴が開いたような寂寥《せきりよう》を感じてならない。

袷《あわせ》が恋しい風の中を、ふたりのおんなは無言のまま、つる家へと向かった。

「澪姉さん」

ふきが澪を呼びながら、俎橋《まないたばし》を駆け上る。店の表で澪の来るのを今か今かと待っていたのだろう。息を切らせている少女に、澪は問いかけた。

「ふきちゃん、どうかしたの？」

「登龍楼《とりゆうろう》から澪姉さんに使いが来ています」

登龍楼、と繰り返して澪は眉《まゆ》を顰《ひそ》める。先日の佐兵衛《さへえ》の台詞《せりふ》を思い出したのだ。

「澪、何ぞ心当たりはあるんか？」

芳に問われ、澪は黙って頭を振った。

つる家へと急ぎ、調理場から座敷を覗《のぞ》いたところ、顰《しか》め面《つら》の種市と目があった。

「お澪坊、こっちに来てくんな」

種市と向き合っていた人物がこちらを振り返る。四十代の、落ち着いた風格のある男だ。見覚えのある顔に、澪は記憶を手繰《たぐ》り寄せる。そう、確か神田須田《すだ》町の登龍楼を居抜きで買わないか、との話を持ち込んだ男だった。

随分と裏のある卑劣《ひれつ》な取引話だったことを思い、苦々しい気持ちのまま、澪は男から少し離れて座る。さて、役者も揃《そろ》ったことだ、と種市は腕組みを解いた。

「聞かせてもらおうじゃねぇか。登龍楼さんよ、今度はまた、どんな茶番に引き込もうってぇのか」

「茶番とはまた」

使いは苦笑いして、店主と澪を交互に見た。

「須田町の店の件では、どうにも誤解があったようです。それも含めて、手前どもの主《あるじ》に釈明の機会を賜《たまわ》りたく、ついては料理人のかたに一度、登龍楼の本店へお運び頂きたいのです」

何とぞ、と男は丁寧《ていねい》に頭を下げる。

種市と澪は当惑して互いに視線を交わした。

「それじゃあ、澪さんひとりで？」

開いた魳《かます》を干す手を止めて、りうが驚いた顔で澪を振り返った。

ええ、と澪は頷いて、

「今夜、店が終わってから伺《うかが》う約束です」

と、応えた。

佐兵衛の忠告を守りたくとも、番付大関《おおぜき》位の料理屋の店主から名指しで呼ばれたのだ、理由もなく断ることは憚《はばか》られた。また、登龍楼には、ふきの弟の健坊《けんぼう》が奉公していることもあり、無下《むげ》に出来ない。

「けど、登龍楼は吉原の店が全焼してからこちら、随分と落ち目とかいう噂《うわさ》ですよ。その腹いせを澪さんに向けない、とも限らないじゃないですか」

りうの言葉に、芳は青い顔で澪を背後に庇《かば》う素振《そぶ》りをみせた。

「りうさん、大丈夫だす。この娘がどない言おうと、私も付いて行きますよって」

「それなら、あたしも一緒に行きましょう。まあ、暗がりなら怖がらせる自信はありますからね」

りうは言って、歯のない口をかっと開いてみせる。

聞き捨てならねぇな、と種市も割り込んだ。

「俺とふき坊も頭数に加わるぜ。あの辺《あた》りは夜、蕎麦《そば》の屋台が出るのさ。帰りは皆で旨い蕎麦でも食っ」

止《や》めてください、と澪は店主の言葉を遮《さえぎ》った。

「相手は人攫《ひとさら》いでも、女衒《ぜげん》でもないんですから。約束通り、私ひとりで行って話を聞いてきます。皆さんには明日、どんな用件だったかをきちんとご報告します」

それより早く仕度《したく》にかからないと、と澪は無理にも話を打ち切った。

店主の判断で、その夜、つる家は常よりも半刻《はんとき》（約一時間）ほど早く暖簾《のれん》を終《しま》った。皆に案じられて外へ出れば、俎橋の向こう、東の低い位置に丸い月が浮かんで周辺を明るく照らしていた。閏《うるう》八月、十五夜の月だった。

「澪、ほんまにお前《ま》はんひとりで大丈夫か」

なおも心配する芳に、澪は仄《ほの》かに笑んでみせる。

「大丈夫です。そう遅くならないと思いますが、ご寮さんは先にお休みください」

言い置いて、澪は俎橋を渡り、川沿いを下った。

先月の十五夜とは打って変わって、煌々《こうこう》と輝く月が街の汚れを払い、一帯を青く澄んで見せていた。おりょうたちは今頃、二度目の十五夜を楽しんでいる頃だろうか。そんなことを思うと、ふっと緊張が和《やわ》らいだ。

一ツ橋御門、神田橋御門を右手に見て、竜閑橋《りゅうかん》を渡れば、登龍楼はじきだった。本町一丁目の外濠《そとぼり》沿い、切妻《きりづま》造りの二階家の連子《れんじ》格子《ごうし》の窓から灯が洩《も》れている。平入りの玄関を過ぎたところで、申し、と声をかけられた。

「つる家の料理人のおかたですか？」

登龍楼の仲居と思《おぼ》しきおんなが、腰低く問うた。はい、と澪が頷いてみせると、そっと左右に視線を廻《めぐ》らせ、こちらへ、と澪を先導した。

黒漆喰《しっくい》壁をぐるりと周り、木戸から中庭へと抜ける。何の匂《にお》いか、嗅《か》いだことのない匂いがふわりと鼻の奥に届いた。だが、それに気を取られる前に、仲居が庭先から奥へ声をかけた。

「おいでになられました」

奥の部屋の障子《しょうじ》がすっと開いて、朝の使いの男が顔を出した。そのままこちらへ、と手招きされ、澪は庭先から縁側へとあがり、そこからひとり室内に足を踏み入れた。

真新しい畳の匂いのする部屋には、掛け行灯《あんどん》がいくつも点《とも》され、随分と明るい。障子近くに使いが控え、部屋の中ほどに、痩《や》せた痘痕《あばた》面《づら》の男が座っていた。男は澪を認めると眼を細めて頷き、自《みずか》らの前を示した。

「お疲れのところ、お呼び立てして申し訳のないことだ。私が日本橋登龍楼店主、采《うね》女《め》宗馬《そうま》ですよ」

「存じています」

勧《すす》められるまま采女の前に着座して、澪はよく通る声で続ける。

「二年前に、この登龍楼でお目にかかっています」

二年前のふきの一件を、なかったことにされては堪《たま》らない。

挑《いど》む眼差しを向ける澪を、采女は薄く笑って見返した。

「突っかかる物言いは止すことだ。お前さんとは少なからぬ縁を感じている。望ましいか望ましくないかは別にしてだが」

采女は細く鋭い眼で澪を射《い》、澪も決して視線を逸《そ》らさない。暫《しばら》くは黙ったまま、互いの腹を探るように見合うばかりだった。

埒《らち》が明かない、と思ったのだろう、旦那さま、と控えていた男がやんわりと促した。

それを受けて、采女は重い口を開いた。

「登龍楼は吉原に新店を出したのだが、皐月三日の火事で皆、焼けてしまった」

知っています、との台詞と、溢《あふ》れそうな感情とを、澪は呑み込む。

「吉原の新店は評判も良く、新しい料理を次々に生み出したことで本店に次ぐ地位を番付で得た。だが、あの火事で才のある板長を失ってしまったのだ」

惜しい、実に惜しい、と采女は握った拳《こぶし》で一度きり、大きく畳を叩《たた》いた。

それはしかし、失われた板長の命を惜しんでいる様子とは違うように澪の目には映る。おそらく、采女は我が身の不運を嘆いているだけなのだ。そう悟った澪は、目の前の五十過ぎの男に溜息《ためいき》とともに問うた。

「用件は何でしょう」

早く帰りたい素振りの澪を、采女は、まあ聞きなさい、と軽く往《い》なす。

「焦土《しょうど》の吉原に、今、新たな店を普請中だ。前は廓の建物を買い受けたが、今度は柱から何から全《すべ》て新しくなる。遊里に相応《ふさわ》しい贅《ぜい》を尽くしたものにするつもりだ」

ついては、と采女は腕を伸ばして澪の上腕を摑《つか》んだ。

「お前さんが欲しい。お前さんを吉原の新店の板長として迎えたいのだ」

思いがけない申し出に、零《こぼ》れ落ちそうなほど双眸《そうぼう》を見開き、澪は身を硬直させた。

「茶碗蒸し、忍び瓜《うり》、菊花雪《きっかゆき》、牡蠣《かき》の宝船……。次から次に新たな料理を作り上げるその才は見事。加えて、遊里でおんなが板長を務める料理屋、というだけで評判は二割増し、否、三割増しになるだろう」

ぬけぬけと言い募《つの》る采女の姿に、澪を襲った驚愕《きょうがく》は去り、ふつふつと怒りに似た感情が湧《わ》き上がる。娘の気持ちを忖度《そんたく》することなく、采女宗馬は、胸算用《むなざんよう》を続けていた。

「千両箱が降る吉原で新店が評判となれば、登龍楼は真実江戸一番、否、この国一番の料理屋になる。お前さんも、あんな倹《つま》しい料理屋の料理人で一生を過ごすよりも本望だろう」

痘痕《あばた》だらけの頬を紅潮させ、采女は澪の上腕を摑んだ手にぐっと力を込めた。

「無論、ただ移って来い、と言うつもりはない。それに見合う銭を用意しよう。さあ、言ってみなさい。つる家からお前を引き抜くには、幾ら用立てれば良いのだね」

最後は銭で話をつけようとする心ばえのさもしさが、澪の怒りの火に油を注《そそ》いだ。

澪は眦《まなじり》を決し、斬《き》りつける声を発した。

「四千両」

隅《すみ》に控えていた男が驚きのあまり、座ったまま跳ねる。

澪は身を捻《ねじ》って采女の腕から逃《のが》れると、唖然《あぜん》としている男に、さらに念を押した。

「この私を引き抜かはるんなら、値は四千両だす。びた一文、負かりまへんなぁ」

くに訛《なま》りで啖呵《たんか》を切ると、澪は徐《おもむろ》に立ち上がった。采女に激昂《げきこう》されて、摘《つ》まみ出される前に出て行こうとした。

「まあ、待ちなさい」

障子に手をかけた時、意外にも平《たい》らかな声で呼び止められた。

「話はまだ終わっていない。座りなさい」

采女は腕を組み、眼で畳を示す。

仕方なく再度座り直した澪のことを、登龍楼の店主は唇を捻《ね》じ曲げて眺めた。

「大した自信だ。己《おのれ》にそれほどの価値がある、と信じるその根拠を知りたくなりましたよ」

采女はそう言ったあと、何やら思案に暮れている。激怒させて終わりにするつもりが、妙な流れになり、澪は落ち着かない。

やがて采女は何かを思いついた顔で澪を見た。

「ひとつ賭《か》けをしようではないか」

「賭け？」

怪訝そうに眉根を顰める料理人に、采女は頷く。

「吉原で商うに相応しい逸品《いっぴん》を作ってみることだ。『これならば確かに』と思える料理が出来たならば、その話、考えてやらぬでもない」

「旦那さま」

裏返った声で、控えていた男が止めに入る。

「そのような無茶苦茶な」

奉公人の反対を冷たい一瞥《いちべつ》で封じると、采女は緩やかに腕を解いた。

「来月十八日、浅草観音のご縁日を期日としよう。店開け前にここへ料理を持ってくることだ」

一方的に決められて、澪は声を上げる。

「待ってください。まだ賭けを受けるとは」

「何をごたごたと」

娘の言葉を遮って、采女は煩《うるさ》そうに手を振ってみせた。

「采女宗馬に啖呵を切ったのだ。お前さんはこの勝負、受けるよりないのだよ」

来月十八日だ、と念を押すと、采女は立ち上がり、自ら障子を開けて顎先で澪に外を示した。


満月に守られて神田鍋町を過ぎ、八《や》ツ小路《こうじ》へ出た。昌平《しょうへい》橋は目の前だ。あと半刻ほどで木戸が閉まるため、橋を行くひとびとの足取りも忙《せわ》しない。賑《にぎ》やかな虫の音色《ねいろ》に包まれて、澪はふと足を止めた。この少し東寄りに小さな稲荷神社があることを思い出したのだ。そこの神籤《みくじ》はよく当たる、と以前、お客の四方山《よもやま》話で耳にしたことがあった。澪の足は自然に、昌平橋とは違う方角へと向いた。

化け物稲荷に似た、慎《つつ》ましやかな稲荷社は、眠りの中にあった。人気《ひとけ》のない境内《けいだい》を見渡せば、祠《ほこら》の前に古い木箱がひとつ。中を覗けば、結んだ文と四文銭《しもんせん》が何枚も。結んだ文が神籤と呼ばれるもので、四文を納めてひとつ選ぶのだろう。神籤など生まれてこの方、引いたことも触ったこともない。けれど、自身でもどう判断して良いかわからない事態に、何か大きな存在に縋《すが》りたい、との思いがあった。祠に手を合わせ、四文を納めると、澪は木箱の中から結び文をひとつ取り上げた。もどかしく結び目を解き、月下、神籤を広げる。

細長い紙面には、上段に「吉」の文字。下段に、こう記されていた。

〈凍《い》てる道を標《しるべ》なく行くが如し

ただ寒中の麦を思へ〉

「ただ寒中の麦を……」

澪は神籤の真意を汲《く》み取りかねて戸惑《とまど》いながらも、吉の文字に慰《なぐさ》めを得る。神籤を結び直して懐へ納める。祠に再度手を合わせると、木戸の閉まるのを気にして、小走りで昌平橋を目指した。

人通りの絶えた神田旅籠《はたご》町を駆け抜け、金沢町に辿《たど》り着いた時、裏店の路地の前に人影を認めて、澪は足を止めた。

「ご寮さん」

荒い息を吐き、澪は駆け寄る。月影のもと、芳が心細そうに澪の帰りを待っていたのだ。

「お帰りやす、澪」

顔を見るまで心配でなぁ、と月の光のせいばかりでない、青白い顔で芳は応じた。

長月《ながつき》前とはいえ、夜になれば寒さに慣れぬ単衣《ひとえ》の身に、冷気の応える季節。芳は熱い麦湯を用意してくれた。ゆっくり、ゆっくりと飲み干せば、胃の腑《ふ》あたりに苦く固まっていたものが解《ほぐ》れて溶けていく。

「ご寮さん、おおきに」

大事に飲み終え、澪は湯飲み茶碗を置いた。

芳や種市らに何を話し、何を伏せておけば良いのか、道すがら考えていた。だが、今夜の采女との遣《や》り取りを変に脚色すれば却《かえ》って誤解を与えてしまう。澪は、心を決めて、ご寮さん、と芳へ向き直った。

「何だぁ、四千両で引き抜きだぁ？」

つる家の調理場の板敷で、店主はそのまま後ろへひっくり返りそうになった。ふきに支えられて何とか留《とど》まったものの、驚異は老人から去らない。

「俺ぁ、悪い夢を見てるに違《ちげ》ぇねぇや」

「澪ちゃんを引き抜くだなんて、よくもまあ、ぬけぬけと言えたものだよ」

怒りのあまり拳を震わせるおりょうを、まあまあ、とりうは宥《なだ》める。

「如何《いか》にも登龍楼の考えそうなことですよ。澪さんのような才のある料理人は、敵にしておくより取り込んだ方が楽でしょうからねぇ」

ふきは皆の会話に口は挟まず、ただ、不安そうに澪を見つめている。それに気付いて、澪は少女の顔を覗きこんだ。

「大丈夫よ、ふきちゃん。私はつる家の料理人なのだし、もともとその気がないから、四千両だなんて、法外な値をふっかけたのだもの」

澪の台詞に、ふきではなく店主の方が、ほうっ、と太く安堵《あんど》の息を吐いた。

「そうだよな、お澪坊がそんな話、受けるわけは無《ね》ぇよな。けどよぅ、それなら賭け云々《うんぬん》の話は早めに断った方が良いんじゃねぇのか」

店主に指摘されて、澪は考え込んだ。そんなことを許す相手ではないだろう。

何なら俺から登龍楼に話を付ける、と言い出した店主をりうがさり気なく制する。

「さあさ、そろそろ仕込みに入らないと。つる家の料理だけが生き甲斐《がい》ってお客をがっかりさせちゃあ罰《ばち》が当たりますからね」

鰤《かます》は、江戸っ子の秋の好物のひとつである。見た目は受け口で愛嬌《あいきょう》のある魚だが、身に水気が多いため、生よりも開いて干したものが一層美味《おい》しい。

「お澪坊、今日は干し魳の炙《あぶ》った奴かい？」

店主は早くも手の甲で涎《よだれ》を拭ってみせた。

「はい、ただ、夜はもうひと手間加えます」

澪は言い置いて、若布《わかめ》の入った笊《ざる》を抱えて外へ出た。

又次が戸板に若布を貼《は》り付けて乾かしたことを思い返し、澪は薄い若布を裏返した笊に広げる。気付くとふきが横に来て、若布を広げるのを手伝い始めた。悲しみは常《つね》に傍らにあるけれど、在《あ》りし日の又次を慈《いつく》しみながら、ふたりして黙々と若布を広げていく。床几《しょうぎ》に笊を並べると、陽《ひ》あたりの良い表通りへと移した。

昼餉時、つる家の暖簾を潜《くぐ》ったお客たちは、膳の炙った干し魳に目を留めて、魳だ、魳だ、と踊り出さんばかりに喜んだ。

「澪ちゃん、江戸っ子なんてもんはわかり易いだろう？　この時季には魳さえ出してりゃご機嫌なんだからさ」

おりょうの軽口に芳がほほほと柔らかく笑う。登龍楼の提案が重く圧《の》し掛かっていたはずが、お客らの旺盛《おうせい》な食欲で皆の気持ちはぐっと軽くなった。

「全《まった》く以《もっ》てけしからん」

昼餉時を大分と過ぎた頃、例の不機嫌な声が入れ込み座敷に響き渡った。

「わしはこんなものを食うつもりで来たのではないぞ」

とろろご飯の載《の》った膳を押しやって、清右衛門《せいえもん》は怒り心頭の様子である。

「鰤はどうした。開いて干した鰤は」

相済《あいす》みません、と種市は平身低頭で詫びる。

「用意してたものが全部、出てしまったんでさあ。何せ干して炙った鰤は江戸っ子の好物ですからね、清右衛門先生もせめてもう半刻、早くお見えに」

「煩い」

清右衛門は店主の言葉を途中で遮り、その脇に控えている料理人をじろりと睨《にら》んだ。

「客の注文に応えられぬとは情けない料理人だ。そもそも鰤を充分に用意しないのが悪い。料理人の風上《かざかみ》にも置けぬわ」

「申し訳ありません。では、これは下げます」

丁寧に詫びて、膳を下げようと伸ばした料理人の手を、戯作者はぴしゃりと叩いた。むっとしたように箸《はし》を手に取り、とろろご飯をまずひと口。おっ、という常の顔を見せ、あとは旺盛な食欲で食べ進めていく。座敷に控えていた店主と澪、そして芳は戯作者に見つからないよう笑いを噛み殺して肩を揺らした。

「外に若布が干してあるが」

芳に新たなお茶を淹《い》れさせて、清右衛門は横柄《おうへい》に澪に問う。

「鮖があれば焼き解し、あの若布を炙って砕いたものを混ぜるつもりだったのか」

澪は心底驚いて目を見張った。まさにその通りだったのだ。又次の作り出した板状の若布と、火取って解した鮖とを炊き立てのご飯に混ぜれば美味しかろう、と思い、それを夕餉《ゆうげ》の献立に、と考えていた。

「よくおわかりですね、清右衛門先生」

澪の返答に、戯作者はふん、と殊更《ことさら》大きく鼻を鳴らした。

「お前が考え付いたのか」

戯作者の問いかけに澪が頷くなり、罵声《ばせい》が飛ぶ。

「愚《おろ》か者め。それは『つまみ御料』という由緒正しき料理ではないか」

後醍醐《ごだいご》天皇が摘まんで召し上がったのが名の由来、と聞いて、澪はしゅんと肩を落とす。前にも似たようなことがあった。自分が見出《みいだ》したと思っても、既に存在した料理の如何《いか》に多いことか。

「まだまだ学ばねばならぬことの、何と多いことよのぅ」

鼻で笑って清右衛門は席を立ち、皆の見送りを拒《こば》んで悠々と出て行った。澪は咄嗟《とっさ》にその後を追った。

「清右衛門先生、ご相談があります」

背後から声をかけても、戯作者は振り向きもせずに、

「お前の相談に乗るほど暇ではないわ」

と、吐き捨てる。澪は男の前へ回ると、その顔を覗いてひと息に告げた。

「登龍楼から引き抜きの話をもらいました」

何、と戯作者は目を剝いて澪を見た。

詳しく話して聞かせろ、と命じられて、澪は昨日の出来事、ことに采女との遣り取りを詳細に語った。耳を傾けるうちに戯作者の目が爛々《らんらん》と輝きだす。

「これはこれは」

全てを聞き終えると、清右衛門は天を仰《あお》いで高笑《こうしょう》した。暫くは笑い止《や》まぬ男のことを、澪は両の眉を下げて眺めるしかない。愉快、愉快、と目に涙を溜めて笑い続けた男は、しかし、ふと怖い目で澪を見返した。

「ただひとつ、気に入らんことは、お前が提示した四千両という値だ。登龍楼へ身を売った金であさひ太夫《だゆう》を身請《みう》けするとは、いやはや、何と芸のない話よ」

「そんなつもりは」

料理人の反論を許さず、清右衛門は続ける。

「たとえ引き抜かれるつもりはなくとも、その値が口を突いて出る、というのがもういけない。この先、お前がその額に拘《こだわ》る理由を誰かに悟られれば、横槍《よこやり》が入らぬとも限らんぞ」

このひとは、私が野江ちゃんを身請けすることを諦《あきら》めていない――清右衛門の胸の内を悟り、澪は思いがけない気持ちで相手を見た。

清右衛門は黙って俎橋を渡り始める。澪も無言であとに従った。橋の中ほどに来た時、清右衛門は欄干《らんかん》に手を置いて、遥《はる》か北の空に目を向けた。吉原廓の在《あ》る方向だ、と気付いて澪もこれに倣《なら》う。

「吉原でなら、大金を手にする方法は幾らでもある。ただし、雇われ料理人では吸い上げられるばかり。まずは、その腕が吉原で通じるかどうか、四千両を生み出せるか否《いな》か、この際、試《ため》しておいて損はない」

その勝負、受けてみよ、と清右衛門は厳《おごそ》かに命じると、弾む足取りで俎橋を戻っていく。澪は橋上に佇《たたず》んだまま、清右衛門の後ろ姿を見送った。

あれは雨の日だった。清右衛門は又次と澪に、吉原で太夫の身請け銭を作ることを示唆《しさ》したが、澪にはその手立てが何ひとつわからない。ただ、そうした事情を離れて、実は密《ひそ》かに、采女との勝負を受けてみたい、という気持ちを抱いていることを認めざるを得なかった。

お客に喜んで頂ける料理を作ることこそが料理人の本分。その根底は揺るがないのだが、一方で、自身の料理人としての力量を試してみたい、との思いが潜むのも打ち消すことは出来なかった。

佐兵衛からは「決して関わるな」と釘を刺されているのにも拘《かかわ》らず、そう願ってしまうのは、料理人の性《さが》だろうか。

澪は懐から、昨夜の神籤を取り出した。大きく書かれた「吉」という文字が目に飛び込んでくる。大吉でもなく、凶でもない。容易《たやす》くはないが、精進《しょうじん》をすれば叶《かな》えられるのでは、との希望が持てた。澪はその神籤を元通り畳むと、ふと思いついて、蛤《はまぐり》の片貝をおさめている巾着《きんちゃく》に一緒に入れた。

夕餉の客が残らず去り、暖簾を終《しま》ったあとの調理場で、店主は低く呻《うめ》いた。

「料理人の性、って言われりゃあ、俺ぁひと言もないけどよぅ」

澪から、登龍楼との賭けに応じる、という決意を聞いた種市は、苦渋《くじゅう》の表情を崩さない。

「お澪坊に考えさせるだけ考えさせて、それをあっさり横取りして大儲《おおもう》け、って結果は目に見えてると俺ぁ思うぜ」

主の隣りで、ふきがこくこくと頷いている。

りうも澪の方へ軽く身を乗り出した。

「その通りですとも。第一、千両箱をそんなに積み上げるなんざ、昔っから、豪商から幕府役人への賂《まいない》か、はたまた吉原の花魁《おいらん》の身請け銭か、と相場は決まってますよ。そんな大金、あの登龍楼が出すわけありませんって」

りうの言葉に、芳ははっと顔を上げて澪を見た。それには気付かぬ振りをして、

「それでも良いのです。ただ、この賭けを最後に、登龍楼には今後一切、つる家や私に関わることのないよう釘を刺すつもりです」

と、澪は応えた。

板敷の緊迫した沈黙を、蟋蟀《こおろぎ》のころころと長閑《のどか》な鳴き声が埋めている。暫《しばら》く経《た》って、店主はふっと吐息をついた。

「翁屋《おきなや》から花見の宴《うたげ》の料理を頼まれたことがあったが、あの時のお澪坊は、苦労しながらも何処《どこ》か楽しそうだった。客層の違う料理を考えるってなぁ、料理人にとっても

良い経験になるだろうよ。俺ぁ、構わねぇぜ」

それで登龍楼と決着がつくなら、やってみな、と語る店主に、澪は胸を熱くして静かに頭を下げた。

孝介《こうすけ》の迎えでりうが帰り、種市とふきに見送られて、澪と芳もつる家をあとにする。裏店までの半刻、芳は何か考え込んでいる様子で、澪は敢《あ》えて話しかけずにいた。

南東の高い位置にある大きな月が、金沢町の裏店を清浄に照らし、侘しい住まいを美しく見せている。先に引き戸を開けて、芳を中へ、と振り返れば、芳は向かいの部屋の前にじっと佇んだままだ。澪はそっと芳のもとへと戻った。

伊佐三、おりょう、そして太一の三人家族が暮らしていた部屋も、今は無人。丁寧に拭い清められている引き戸や格子に目を留めて、引っ越しの当日、これまでの感謝を込めて一家で掃除していた姿を思い出す。

芳と澪、ふたり暮らしのはずが、伊佐三一家との朝の挨拶《あいさつ》で一日が始まり、夫婦の鼾《いびき》を聞きながら眠りにつく。そうした幸せの中に居たことを改めて思う。

律儀に真《ま》っ直《す》ぐに貼られた「貸し屋」の札に見入って、

「今度はどんなひとたちが住むんでしょうね」

と、澪は無理にも明るい声で言った。

芳は目もとを和らげて澪を見、再び視線を部屋へ戻した。

「澪、お前《ま》はんにならら笑われてもよろしおます。私は、今、思うたんだす。もしも、佐兵衛一家がここに住んでくれてたら、どないに嬉《うれ》しいやろかってなぁ」

無理な話なんやろけど、そういう暮らしがあれば、と話す芳の声は、徐々に元気がなくなっていく。

出水の日の再会から、すでに十日以上が過ぎたが、佐兵衛からはまだ何の連絡もない。住む場所が未《いま》だ定まっていないのだろうが、待ち続ける芳の気持ちを思うと切なかった。ご寮さん、と呼びかけて、澪は芳の背中に手をあてがい、ふたりの住まいへと誘《いざな》った。

長月に入り、漸《よう》く単衣《ひとえ》から袷《あわせ》を着込む季節となった。呉服商の多い日本橋界隈《かいわい》も、寒さへ向かう衣装を揃えるお客で活気づいていた。早朝に家を出て大坂屋《おおさかや》へ立ち寄った澪は、通りの端を歩きながらつる家へと急ぐ。本両替町の伊勢屋《いせや》の店の前を通ることに気付いて、ふと立ち止まった。

暫く美緒《みお》さんに会っていないわ。

お元気かしら、声をかけようかしら、と思うものの、店の前の通りを小僧が懸命に箒《ほうき》で掃き清めている姿を認めて、そっと踵《きびす》を返す。

とても近しくて、つい忘れてしまいそうになるが、美緒は豪商伊勢屋の跡取り娘なのだ。路地を抜けて行こうとした矢先、澪は、前方に立ち止まる人影を見つけた。

「澪さん、澪さんじゃないの」

渋い黄八丈《きはちじょう》を纏《まと》ったおんなが、双眸《そうぼう》を見開いて立ち竦《すく》んでいる。花売りから買い求めたのだろう、見事な大輪の菊がその手にあった。

「美緒さん」

そのひとの名を呼んで、澪は弾む足取りで駆け寄った。

父、伊勢屋久兵衛《きゅうべえ》の命《めい》により、中番頭だった爽助《そうすけ》を婿《むこ》に取ったのが、昨年皐月。牡《ぼ》丹《たん》の花のごとく可憐《かれん》で艶《あで》やかだった娘は、今、落ち着いた大人のおんなの風情を滲《にじ》ませている。

「澪さん、会いたかったの。何度、会いに行こうと思ったか知れないわ」

空《あ》いた方の手を伸ばして、澪の手をきゅっと握る。その面差《おもざ》しが少し窶《やつ》れて見えて、澪の眉は曇った。

「ほんの少しだけ寄って行かない？」

お願い、と美緒は言い、返事も待たずに澪の手を引いて伊勢屋へと導いた。

懐かしい離れの一室へとそのまま連れて行かれて、澪は美緒と向かい合って座る。障子の外の柿の木に艶《つや》やかな実が生《な》っているのを見て、澪は頰を柔らかく緩めた。幾度かあの樹《き》を眺めたが、果実を見るのは初めてだった。

「澪さん、私ね」

そう言ったきり、あとの言葉が続かず、美緒は黙ったまま右の掌を自身のお腹《なか》にあてた。その仕草を見て、澪は、あっ、と声を洩らす。

「美緒さん、もしかしたら？」

澪の問いかけに、友は頰を朱に染めて、こくんと頷いた。

「産婆《さんば》さんで診《み》てもらって、真っ先に爽助に報告したら、あのひと、目に涙を溜めて、ありがとう、ありがとうって私にお礼を言ったの」

男のひとが泣くだなんて思いもしなかったから、と美緒は恥じらいつつ澪に告げた。

「息子でも娘でも良い、無事に生まれてさえくれれば……。ああ、でも、やっぱり私に似た女の子が良いかしらね」

怪訝な顔をする澪に、美緒は悪戯《いたずら》っぽい表情で、声を落としてこう続けた。

「爽助に似てしまったら可哀想《かわいそう》だもの。肌は漉《す》き返しの浅草紙みたいだし、猫背だし、鼻は潰《つぶ》れているし、八重歯《やえば》だし」

「まあ」

酷《ひど》いわ、言い過ぎよ、と呆《あき》れる澪に、美緒はちょろりと舌を出しておどけて見せる。けれどもすぐに真顔になり、こんな風に続けた。

「あのひとの心根の美しさは、私の見かけの美しさも敵《かな》わない。爽助のようなひとと、ともに手を携《たずさ》えて生きていける、今はそのことが無性《むしょう》にありがたくて、嬉しいの」

美緒は、ひと言、ひと言、嚙み締めつつ澪に打ち明ける。身を焦《こ》がす思慕《しぼ》とは違うけれど、深く静かな、滔々《とうとう》とした流れにも似た慕情がそこには在った。

同じ名前を持つ娘と知り合って二年、その恋の変容を知る身として、澪は友の幸せが真実、身に染みて嬉しかった。

「美緒さん、良かった」

笑いながらも、視界が潤んで仕方ない。

つわりが落ち着いたら夫婦してつる家へ行くのを楽しみにしている、と話す美緒に送られて、澪は伊勢屋をあとにした。振り返れば、美緒がまだ見送ってくれていた。娘時代の雅《みやび》な衣とは違う、地味な黄八丈が却って美緒の美しさを際立《きわだ》たせていた。

——あのかたには、いつも大輪の牡丹の花のように笑顔でいらして頂きたいのです

まだ美緒から見向きもされなかった頃、そんな風に語っていた爽助を思い出す。美

緒が我が子を身ごもったことを知った、その胸中を忖度すれば、涙の理由もわかる。

おめでとうございます、爽助さん。

澪は、爽助の面影に静かに祝福をおくった。


初雁《はつかり》を眺め、赤蜻蛉《とんぼ》と親しむ季節になれば、ひとびとの食欲は一段と旺盛になる。つる家では、秋が旬《しゅん》の根菜類や魚をふんだんに用意して、多くのお客に喜ばれていた。

「澪姉さん、お菜が……」

平皿に牛蒡《ごぼう》の搔《か》き揚《あ》げを盛る澪の手もとを覗いて、ふきは首を傾《かし》げる。

「そうね、夏よりも盛り付ける量が少し多めに見えるかしら」

少女の疑問を汲み取って、澪はにこにこと応える。

料理はまず目で味わうもの。食欲の落ちる夏は、お菜を盛る際は器の六分ほどを使うことにしている。四分の余白が目に涼しさをもたらして、「食べてみるか」という気にさせるのだ。逆に、秋から冬に向かう時は、器の七分ほどを使い、たっぷりと装って食べ手の期待に応える。

不思議なことに、器一杯、余白なしに料理を盛ると少しも美味しく見えない。多めに盛りつけても三分の隙間《すきま》を開けておくことで、器は料理を受け止めて目にも美味しそうに見せてくれるのだ。匂いがわからなくなった時に、一柳の柳吾から器を見るよう忠告されて、改めて身に沁《し》みたことだった。

「澪」

芳が調理場に顔を出して、澪を呼んだ。

「坂村堂《さかむらどう》さんと清右衛門先生が、お前《ま》はんをお呼びだす」

はい、すぐに、と返事をしたものの、澪は情けなさそうに溜息をついた。

種市から許されて以後、日々の献立の合間を縫って、澪は采女との賭けのための料理を試行錯誤している。戯作者と版元はその成果を知りたいに違いなかった。

「では、まだ料理は？」

他にお客の姿のない入れ込み座敷で、食事を終えたばかりの坂村堂が料理人に問うた。連れの清右衛門はひと塩した鱚《きす》の細作りをお代わりし、不機嫌そうに食べている。

「はい、まだ何も」

しゅんと肩を落として答える澪の隣りで、店主の種市は、恨めしそうに清右衛門を見ている。

「そうですか、しかし浅草の観音様のご縁日まであと半月もありませんよ」

大丈夫ですか、と版元から問いを重ねられて、澪は両の眉を下げる。思い余ったのか、種市は食事中の戯作者へと迫った。

「大体、清右衛門先生も酷でさぁ、この娘に登龍楼との賭けを受けろ、てなことを言いながら、あとは知らぬ顔の半兵衛《はんべえ》だ。ちったぁ何か力になってやっても罰は当たりませんぜ」

ふん、と鼻息で応えて、清右衛門は箸を置いた。

「わしは周りで囃《はや》し立てるのは好むが、土俵の上にあがる気はさらさらない。第一、そこまで面倒を見る義理もなかろうて」

戯作者の返答に店主が眦《まなじり》を決する。両者の雰囲気が剣呑《けんのん》になったのを見て取って、まあまあ、と版元が割って入った。

「前回の菜の花の時のように膳料理にするのですか？　もしくは一品に絞られるのでしょうか？」

版元の問いに、澪は小さく頭を振る。

「まだ、どちらとも……。ただ、玉子を用いようと考えています」

玉子はつる家にとっても、また、天満一兆庵にとっても、恩のある食材だった。

古来より「時告げ鳥」の名を持つ鶏は、神の使いの神聖な鳥で、その肉は勿論《もちろん》、玉子を食することも長く禁忌《きんき》とされて来た。そうした来歴を受け継いで、大坂では格式の高い料理屋は、今なお玉子を一切用いない。茶碗蒸しを名物のひとつとした天満一兆庵は、格を競う他の料理屋からは常に格下として扱われた。

けれども、茶碗蒸しの味を知る通人らの圧倒的な支持を集めたし、つる家を料理番付の関脇位《せきわけい》に押し上げてくれたのも、また、同じく玉子を用いた茶碗蒸しだった。それゆえに、澪は玉子を使おうと思ったのだった。

「玉子は滋養になりますし、精がつきます。ただ、高価ですから、茶碗蒸しのように出汁《だし》でのばして用いるならまだしも、一個まるごと用いて何か新しい料理を、というのはあまり試したことがなくて……」

試作にも銭がかかるが、店主は八丁堀の玉子問屋に掛け合って、届けてもらう手筈《てはず》を整えてくれた。そんな経緯を話して俯《うつむ》く娘に、坂村堂は温かな眼差しを向ける。

「玉子、というのは良い案だと思いますよ。実際に吉原でも、清掻《すががき》と同時に『たまご、たまご』の売り声が聞かれますから」

大坂では「煮抜き」と呼ばれる茹《ゆ》で玉子は、この江戸で、値ひとつ二十文。吉原廓では文字通り飛ぶように売れるのだという。

二十文といえば、つる家のとろとろ茶碗蒸しと同じ値だった。

「ただ茹でただけの玉子が、二十文だすか。大坂ではないことだすなぁ」

吐息とともに、芳が呟いた。何しろ精がつきますからね、と坂村堂は慰《なぐさ》め顔で語る。

「茹で玉子は食べ易さが身上《しんじょう》ですが、それよりも遥かに粋《いき》で洒落《しゃれ》たもの、出来れば酒の肴《さかな》になるものならば、吉原ではさぞかし喜ばれることでしょう」

ねぇ、清右衛門先生、と版元が水を向けても、戯作者は、ふん、と鼻を鳴らすばかりだ。坂村堂は、そう言えば、と小膝を叩いて身を乗り出した。

「天明《てんめい》の頃に出た『万宝《まんぼう》料理秘密箱』という料理書の中には、百を超える多彩な玉子料理が載っていますが、確か清右衛門先生がお持ち」

「馬鹿者、すでに書で取り上げられた料理などで賭けに勝てるか。いっそのこと、鶏の肉でも使ったらどうだ」

版元の言葉を遮って怒鳴ると、戯作者は憤然と席を立った。

「そう言やぁ、鶏は確かに『時告げ鳥』ですからねえ。ここ最近、江戸じゃあ軍鶏《しゃも》が喜んで食べられるようになりましたから、つい忘れがちですが」

戯作者と版元を見送ったあと、店の表に佇《たたず》んだまま、りうが洩らした。

ほんまだすなあ、と芳も相槌《あいづち》を打つ。

「大坂では鶏を『かしわ』と呼んで、葱《ねぎ》と一緒に鍋にするひとも居てはります」

桑原《くわばら》、桑原、とおりょうが身震いしている。

「たとえ薬喰《くすりぐ》いだと言われても、あたしゃ神さまのお使いを食べる気になんてなれないよ。大抵のひとはそうじゃないのかい。玉子を生まなくなった鶏は神社に放《はな》すしかないから、鶏だらけの神社も多いじゃないのさ」

確かに、と一同は揃って頷いた。

じじ、ぱちぱち、じじ。

七輪の炭の爆《は》ぜる音が、驚くほど大きく聞こえて、澪ははっと顔を上げ、部屋の奥の様子を窺《うかが》う。すうすう、と小さな寝息が規則正しく続いている。一日よく働いた芳の、安寧《あんねい》の眠りを妨《さまた》げずに済んで、澪はひとまず息を吐いた。

七輪にかけた小鍋の出汁の中で、半煮えの溶き玉子が嵩《かさ》を増している。以前、坂村堂経由で届けられた書物「料理物語」に登場する「玉子ふわふわ」という一品であった。匙《さじ》で掬《すく》って口に運んで、澪は首を振った。目新しさはあるが、玉子料理としては物足りない。

玉子酒、玉子素麺《そうめん》、玉子の麩《ふ》の焼き、みの煮、玉子蓮、そして玉子ふわふわ。「料理物語」に載っていた玉子料理はこれで全て試したが、「これ」と思うものは見つからなかった。坂村堂の話していた玉子の料理書も気になるのだが、そうしたものに頼るばかりでは駄目だ。

「何とか工夫しないと」

口をついて出る溜息を、澪はそっと封じた。


秋が深まると、格段に味がよくなるのが、蓮根《れんこん》や里芋などの根の物だ。ことに蓮根は、出回り始めの新蓮根の爽《さわ》やかさも捨てがたいが、むっちりとした歯ごたえに変わるこの時季からのものが素晴らしい。

「澪姉さん、蓮根からこんなに」

澪に教わった通り、蓮根を輪切りにしていたふきは驚きの声を上げた。見れば、蓮根の切り口から無数の糸を引いている。

「今日のは飛びきり良い蓮根ねえ」

新鮮なものは切り口から多量の糸を引く、と教えて澪は糸の粘《ねば》った感触を手で慈しんだ。この糸で織物が出来る、というのも道理の手触りだった。

「蓮根は大抵、輪切りにして使うけれど、縦に切れば嚙んだ時に面白いのよ」

縦に、とふきは首を傾げている。

「根ぇのもんの味が良うなると、もう晩秋だすなあ」

流し台で布巾《ふきん》を絞っていた芳が、独り言のように洩らした時だ。

今朝の菊ぅ　菊の花ぁ
ええ菊ぅ　菊の花冠《はなかんむり》ぃ
九段坂の方角から、老女の歌うような売り声が流れてきた。

「ああ、せやった、今日は長月の九日、重陽《ちょうよう》だした」

芳に言われて初めて、澪は気付く。

「そろそろ献立に菊花雪を、と思っていたのに、何時《いつ》の間にか忘れてしまって」

「入れ込み座敷に少し飾りまひょか」

花売りを呼び止めるために、芳が腰を伸ばした。

御免《ごめん》よう、と表で誰かが案内を乞《こ》い、それに店主が応える気配があった。刹那《せつな》、ばたばたと派手な足音を立てて、種市が調理場へ駆け込んで来た。

「ご寮さん、あんたに文だ。今、文使いが持ってきたぜ」

勝手口を出ようとしていた芳は、はっと振り返り、種市が差し出す文を半《なか》ば奪い取るようにして受け取った。

ご寮さん、と傍らに添う澪に、芳は震える手で折封《おりふう》の表を示した。そこには、「捨」ではなく、「佐兵衛」と記されていた。

佐兵衛、と小さく呼んで、芳は文を開いて読み進める。文は以前のものとは違い、とても長く、ちらりと目に入った筆跡も丁寧で整っていた。

澪と種市は少し離れて芳の様子を見守った。芳の肩が小刻みに震えて泣いているのがわかる。長い文を幾度も読み返しているのだろう、芳はなかなか顔を上げない。

「ご寮さんよぅ、若旦那は何だって？」

我慢できずに問いかける店主に、芳は掌で涙を払って笑顔を向けた。

「落ち着き先が決まったよってに、知らせてきたんだす。出水のあと、住まい探しに難儀したけれど、駒込《こまごめ》の染井《そめい》村に引っ越した、と。内藤新宿でお世話になっていた植木職の親方の口利きで、その親戚《しんせき》の家に家族で住み込むことになったそうでおます。越してすぐ、赤子のお花の具合が悪うなって、連絡が遅れたようだす」

そいつぁいけねぇな、と種市は気懸かりな声を上げた。

「それで赤ん坊の具合はどうなんだい」

「へえ、お蔭《かげ》さんで無事に病抜けしたそうだす」

芳は言って、丁寧に文を畳み、大事そうに懐におさめた。

駒込の染井村、と澪は小さく繰り返す。名前は聞いたことがあるが、いずれにせよ随分と遠い。伊佐三たちの住まいのあとを見て、芳が洩らした言葉を思い返すと、澪は切なくなった。

そんな澪の胸の内を察したのか、芳は、頭を振って澪の腕を優しく摑む。

「佐兵衛がなあ、お花がもう少ししっかりしたら、親子三人で挨拶《あいさつ》に来たい、て。私に、初孫のお花を抱いてほしい、て」

「ご寮さん、それは本当かい」

そこで様子を窺っていたのだろう、土間の仕切りからおりょうが芳に駆け寄った。

「おりょうさん」

芳が泣き笑いの顔を向けるのを見た途端、おりょうの目から涙が噴いた。

「ご寮さん、ごめんよ。あたしゃこれまで若旦那のことを、随分な息子だと恨めしく思ってたのさ。母親のご寮さんをこんなに苦しめて、何て親不孝な、と」

おりょうは、鼻水をぽたぽた垂らしながら芳に詫びる。

「まともな文が来て、本当に良かった。母親なんてのは息子が健《すこ》やかで、何とか幸せに生きてくれてりゃあ、それで良いんだからね」

良かったね、ご寮さん、とおりょうは涙声で繰り返した。

「そうですか、そんなことが」

食後のお茶を飲み終えて、源斉《げんさい》は店主に頷いてみせた。

暖簾を終った入れ込み座敷には、他にお客の姿はなく、飾り棚に生けられた菊花が柔らかな芳香《ほうこう》を漂《ただよ》わせるばかりだ。

「あっしは嬉しくてねぇ。源斉先生がいける口なら、今夜は菊酒でも付き合ってもらいてぇくらいなんでさぁ」

種市は上機嫌で、まだ呑んでもいないのに酔ったような口調になっている。

澪は土瓶《どびん》のお茶が残り少ないのに気付いて、調理場へ戻ろうと立ちかけた。あ、そのままで、と源斉が澪を押し留める。

「実は、ご店主と澪さんに折り入ってお願いしたいことがあります」

そう言って膳を押しやり、居住まいを正す医師に、種市は驚いて腰を浮かせた。

「止してくださいよ、源斉先生、改まってそんな。先生とあっしらの仲じゃありませんか」

どうか何なりと仰《おっしゃ》ってくだせぇまし、と店主に促されて、源斉はこう切り出した。

「今度の十三日、半日だけ澪さんにお付き合い頂きたい場所があります。今戸《いまど》にある翁屋の寮なのですが、楼主伝右衛門《ろうしゅでんえもん》殿にどうしても、と頼み込まれまして」

翁屋伝右衛門、と聞き、でっぷりと太った禿頭《とくとう》の初老の男の姿が、主と奉公人の脳《のう》裡《り》に浮かぶ。よもや、と種市は呻《うめ》いた。

「よもや、また翁屋がお澪坊を引き抜こうって話じゃ……」

「え？」

事情を知らない源斉が怪訝そうな眼差しを向けるのに気付いて、種市は慌てて、何でもありませんや、と手を振った。

野江ちゃんのことが何かわかるかも知れない——けれども、この身はつる家の料理人、それも替わりの居ない、ただひとりの料理人なのだ。澪は膝に置いた手を握った。

種市は源斉を見、澪を見て、少しの間、考え込んだ。そこに何か自身の窺い知れぬ事情が横たわるのを、察したのかも知れない。

ようございましょう、と存外明るい声で、店主は若い医師を見やった。

「長月十三日と言やぁ、十三夜で『後《のち》の月』、おまけに『三方《さんぽう》よしの日』じゃありませんか。それなら昼餉の商いは、お客には申し訳ねぇが、目を瞑《つぶ》ってもらうこととしましょう」

ありがたい、と源斉が頭を下げるのと、それは、と澪が頭を振るのと同時だった。

「旦那さん、それではつる家の昼餉を楽しみにしておられるお客さんに申し訳が」

お澪坊、と種市は娘の言葉を優しく遮った。

「明日から表に詫びの貼り紙をしておくから大丈夫さ。三日もありゃあ、お客には充分に知れ渡るからよぅ」

それに、と店主は料理人の顔を覗き込んで、言い添える。

「少しは違う景色を見て、違う経験をした方が、料理の妙案の浮かぶこともあるだろうよ。まぁ、ここはひとつ、年寄りの言うことを聞くもんだ」

長月十三日。

払暁《ふつぎょう》の天に鶏鳴《けいめい》が響く中を、一艘《そう》の船が昌平橋下の岸を離れて、ゆっくりと神田川を下っていく。普段は渡るばかりの橋を、船の中から見上げる不思議。

つい、背を反《そ》らして橋の板底を仰《あお》ぎ見る澪に、船頭は案じて声をかける。

「姐《ねえ》さん、気を付けてくだせぇよ」

赤面して、済みません、と詫びる澪の様子に、源斉は仄《ほの》かに頰を緩めた。

秋の日は短いゆえ、一刻も早く、とこの刻限に発《た》つことにしたふたりである。

翁屋の差し向けた船は乗り心地良く、巧みに川を下っていく。澪にとって、船は昨春、美緒や種市らと浅草寺《せんそうじ》に詣《もう》でて以来だった。

翁屋伝右衛門が澪に一体、どんな用件があるというのか。

また何かの宴の料理を作れ、というのだろうか。それとも何か商いのことか。川風に吹かれながら、澪はあれこれと思案する。源斉は不知なのか、それに関しては一切触れていない。

「源斉先生、翁屋の旦那さんは私にどんな」

澪の台詞《せりふ》を、しかし源斉は身を乗り出して途中で遮る。

「この前、つる家のご店主が、料理の妙案がどうとか仰っていましたが、澪さん、また何か新しい料理を考えておられるのですか？」

源斉の問いかけを唐突に思いながらも、澪は仕方なく、登龍楼とのあらましを話した。聞き終えて源斉は、

「登龍楼からそんな申し出が……。ああ、それで先般、引き抜き云々《うんぬん》、とご店主は仰ったのですね」

と、得心がいったように頷いた。

「玉子を使って、と思い、色々試作しているのですが、ままなりません」

川面《かわも》に視線を落としたまま、澪は小さく溜息をついた。

「私で何かお力になれれば良いのですが、玉子、玉子……ううむ」

源斉は、腕を組み、眉間《みけん》に皺《しわ》を寄せて沈思《ちんし》している。そんな医師の煩悶《はんもん》を余所《よそ》に、

船は滑《すべ》るように神田川を下り、柳橋《やなぎばし》を潜って海の如き大川へと漕《こ》ぎ出た。緩やかな流れに遡《さかのぼ》って漕ぎ進めば、右手には白壁の武家屋敷、左手には浅草御蔵、と見覚えのある情景が広がっている。

澪は寒さを覚えて、両の腕を摩《さす》った。

吉原が全焼したあと、翁屋が何処《どこ》でどうしているのか、澪には一向にわからない。源斉に聞けば、と思ったこともあるが、疾風《はやて》の流行で医師として苦悩する姿を間近に見ている身。摂津屋からもたらされた情報で、辛うじて野江の様子を知ることが出来たが、それも幾月も前のことだ。思い返せば、そう、あれは水無月《みなづき》の十三日だった。

同じ十三日、もしや野江に逢《あ》える廻《めぐ》りあわせなのでは、と心は震える。片方の手を胸に置くと、生地《きじ》越しにこつんとした感触があった。そこに納まる片貝が、片割れを乞うている。野江ちゃん、と声が洩れそうになった時だった。

難しい顔で考え込んでいた源斉が、ぱっと眉を解いた。

「澪さん、どうして玉子には黄身と白身があるのでしょうか」

どうして、と言われても。

澪は困惑して、両の眉を下げる。

「旦那、長いこと黙っておられたのは、そいつを考えてなさったからですかい」

船頭が澪の代わりに、呆れた声を上げた。

源斉は右の手を後頭部に置いて、照れた風に笑った。

「幼い頃からそれが謎《なぞ》で。茹で玉子の黄身だけ外して、飽かず眺めていました」

子供の頃から変わっていたのです、と朗笑《ろうしょう》する源斉に、船頭と澪はつられて明るく笑った。

笑顔になれたせいか、期待と不安とで綯交《ないま》ぜになっていた心が徐々に平らかになる。

船頭は駒形堂《こまかたどう》をやり過ごし、大川橋の下を抜けて、今戸橋の袂《たもと》に船を着けた。源斉の手を借りて船を降りる。周辺は船宿や茶屋が立ち並ぶが、眼を転じれば、大川沿いには炭焼き小屋に似た家々が続き、竈《かまど》のものか、幾つもの煙が薄くたなびいていた。

「この辺りは、瓦《かわら》を焼く窯《かま》が多いのです。福助や鬼の姿をした人形もこの今戸で焼かれるので、今戸焼き、と呼ばれるのですよ」

源斉は言って、大川に注ぐ細い川を指した。

「この川を遡った先に、再建中の吉原廓がありますす」

日本堤《にほんづつみ》に添って流れる山谷《さんや》川と聞いて、澪は、翁屋で花見の宴の膳を作っての帰り道、源斉と覗き見た川だと気付いた。

「遊里が全焼すれば、各々《おのおの》の廓は仮宅《かりたく》を許されますが、この界隈、つまり大川沿いの山谷、浅草、両国、深川に限られています」

吉原廓が整うまでの間、それぞれの仮宅で廓としての営みを続けるのだ、と源斉は言う。澪は落ち着かない素振りで周辺を見回した。

道端で、瓦職人の子供たちか、欠けた素焼きの人形を手に遊んでいる。その傍らで赤子に乳をやる母親の姿があった。

二万坪を超える広大な敷地を持つ堅牢《けんろう》な籠《かご》の如き遊里が、一体、何処に潜《ひそ》むというのか。ここにはお歯黒どぶも大門《おおもん》も無いのに。

澪の疑問を読み取ったのだろう、源斉は口もとを緩めた。

「茶屋や料理屋、商家を借り上げて仮の商いをするのですが、何せ大門もありませんし、吉原では籠の鳥だった遊女たちにしても、町なかの湯屋へ行くなど、近辺を出歩くことは禁じられていないのですよ」

澪は吸った息を吐くのも忘れて、まじまじと源斉を見つめる。

初めて吉原へ行った八朔《はっさく》の日、切手を紛失しただけで大変な目に遭った。仮に遊女が足抜けすれば、と震えあがったのを覚えている。

そうした恐怖が仮宅では無い、というのか。

「以前、澪さんから大坂の新町《しんまち》廓の話を伺いましたが、今は丁度、よく似た状態ですよね。いや、仮宅の方が一層自由かも知れません」

新町廓では、遊女らが廓の外に出ることはそう珍しくない、という澪の話を源斉は覚えていたのだろう。

澪は今ひとつ実情が理解できないまま、源斉のあとについて歩きだした。

大川沿いから一本筋を入った道を暫《しばら》く行けば、俄《にわ》かに人通りが多くなった。どう見ても茶屋か料理屋と思しき造作の建物に「三州屋仮宅」や「桔梗屋《ききようや》仮宅」の幟《のぼり》がかかる。竹格子の奥に遊女らしき姿も覗《のぞ》くが、簪《かんざし》や櫛《くし》の数も少なく、随分と寛《くつろ》いで見えた。

「仮宅はあくまで仮初《かりそめ》の廓。それゆえ格式も約束事もないのです。お客は無駄な支払いを避けられる上に、地の利も悪くないので、大勢が再々訪れることになる。また、それまで吉原と縁のなかった者も訪れるから、楼主は焼け太りする勢いだとか」

だから楼主はなるべく長い仮宅を希望するのです、と源斉は語った。

人波を外れて路地に入り、暫く行くと、周囲を竹垣で囲った二階家が見えた。急《きゆう》拵《ごしら》えの仮宅とは違い、どっしりと落ち着いた佇まいだった。

「翁屋の寮です。仮宅はこの少し先の町家を借り上げているそうですが、楼主の伝右衛門殿は今、こちらの寮にお住まいです」

要するに別荘のようなものです、と教えて、源斉は慣れた足取りで庭へと入っていく。入口には、他に客が居るのか、藤色の幅広の草履《ぞうり》が揃えて置いてあった。

「これはこれは、源斉先生」

中庭を臨《のぞ》む、十畳ほどの慎ましいが趣《おもむ》きのある座敷に、ほとんど待たされることなく、伝右衛門が賑やかに現れた。

でっぷりと肥《こ》えた体軀《たいく》は一層身幅を広げ、禿頭はどう手入れをしているのか、陽も当たっていないのに、てかてかと光っている。焼け太り、というのが実感できる機嫌の良さだ。

「伝右衛門殿、お約束通り、つる家の料理人をお連れしました」

源斉が言えば、伝右衛門は丁寧に礼を述べてから、澪に向き直った。

「よう来られた。ようよう来られた」

皐月、吉原大火の際、又次の焼死の場で、澪は伝右衛門に会っている。だが、そんな凄惨《せいさん》な出来事などまるで無かったかのように、福々しい笑顔を向ける伝右衛門に、澪は戸惑うばかりだ。

困惑して俯《うつむ》く娘に、楼主は軽く咳払いをしてみせる。

「源斉先生も粗方《あらかた》の事情はご存じだから、前置きなしで言わせてもらいますよ。あの火事以来、あさひ太夫はこの寮で静養中なのだが、まるで覇気《はき》がなく、旦那衆も気を揉まれるばかりだ」

あさひ太夫の名が出たことに、澪は驚き、顔を上げて楼主を見た。

伝右衛門は、その視線を受け止めて、ゆるゆると続ける。

「太夫は上方《かみがた》の出。大坂で生まれ育った料理人のお前さんと話せば気も晴れようか、と思いましてね」

「…………」

澪は絶句し、眼差しを中空に漂わせたまま、楼主の言葉の意味を考えた。

私と話せば気も晴れる……私と話せば……。

野江ちゃんに逢える。

野江ちゃんに、逢わせてもらえる。

楼主の方へ身を乗り出しかけて、澪は、はっと両の肩を引いた。

昨秋、野江と襖越《ふすまご》しの再会を果たした時のことを思い出したのだ。

——せめても澪ちゃんには、遊女のあさひ太夫やのうて、野江のままで居させてほしいんよ

伝右衛門がお膳立てしたとして、野江は与《あずか》り知らぬことではないのか。

それを思うと、この場に居ることさえ野江への裏切りのように思われて、澪は震える声を絞った。

「太夫はそれを望んでおられるのですか?」

澪の問いかけが思いがけなかったのだろう、伝右衛門は源斉と目を見合わせた。

説明の糸口を掴みかねている伝右衛門に代わって、実は、と源斉が口を開く。

「差し出口とは思いましたが、太夫につる家の料理人と会うように勧めたのは、私なのです」

「源斉先生が?」

澪の問いに、医師は頷いた。

「命を支える上で最も大切なのは、ものを美味しく食べる、ということです。今の太夫には、何かを『美味しい』と思う気力がない。その気力を養うために、料理人と話してみてはどうか、と私が勧めました」

ひとが口にした何かを「美味しい」と思えるには、ただ料理の味わいばかりではない。誰と食べるか、どんな状況で食べるか、その料理にどんな思い出を持つか、あるいは料理誕生の過程にどれほど近しい気持ちを抱くか、等々。様々な要因が絡むのだ、と医師は語る。

「料理人と話すことで、太夫に『美味しい』と思う気持ちが戻れば何よりだと思いまして」

澪、という名でもなく、「あなた」という呼びかけでもなく、「料理人」とばかり繰り返す源斉に、澪は漸《ようや》く、はっと気付いた。

源斉はふたりを、「幼馴染《おさななじ》みの野江と澪」ではなく、あくまで「あさひ太夫とつる家の料理人」として逢わせようとしているのだ。だからこそ、船中で澪が伝右衛門の用件について尋ねようとした時、不自然に話題を変えたのだろう。

「あさひ太夫は、ごく限られた者だけが存在を知る伝説の花魁だ。お前さんを太夫に会わせるのを私は良しとはしなかったのだが、源斉先生から『食は人の天なり』と説《と》き伏せられましてね。かつてどんな関わりがあろうとも、太夫は太夫、料理人は料理人。太夫が料理人の話を聞いて、少しでも食が進むようになれば何よりですよ」

そう言って、伝右衛門はほろ苦く笑っている。

野江と澪の間に深い事情があることを察しているに違いない伝右衛門を、その論法で口説《くど》き落としての今がある。源斉の深い配慮に思い至った澪は、潤む双眸を堪えて、両の手を揃えて畳に置いた。

小女《こおんな》に案内されるまま、狭い階段を上がり、長い廊下を源斉のあとについて歩く。飾り棚には刺し子の布に福助人形が置かれて、廓にはない人家の温《ぬく》もりが漂っていた。

「源斉先生とお連れのかたがお見えです」

角部屋らしき襖の前で小女は廊下に両膝を着くと、そう声をかけ、ひと呼吸置いてからゆっくりと襖を開いた。

障子越しの柔らかな秋の陽射しが部屋を明るく、暖かく保っている。障子の際まで寄せられた布団《ふとん》に半身を起こし、そのひとは居た。白羽二重《はぶたえ》をふわりと羽織《はお》り、顔は障子の方へ向けたままだ。

結髪《けっぱつ》を解かれ櫛《くしけず》で梳られ、艶やかな黒髪は肩のあたりで緩く玉結びにされて、鼈甲《べっこう》の玉簪で留められている。肩から腕へかけての線は驚くほど華奢《きゃしゃ》で、長く臥《ふ》せっていたことが察せられた。

太夫、と医師は優しく呼んで、

「つる家の料理人をお連れしましたよ」

と、澪を振り返った。その声で澪は、はっと我に返り、源斉の少し後ろへ座ると、畳に両の手をついて、深く頭を下げた。溢れそうな慕情をぐっと嚙み下し、澪はやっとの思いで口を開いた。

「元飯田町《もといいだまち》つる家の、料理人でございます」

返答はなく、ただ衣擦《きぬず》れの音が聞こえて、澪は顔を上げた。そのひとが身体ごと澪に向き直って、じっとこちらを見つめている。

化け物稲荷の神狐に似た、切れ長の美しい双眸。漆《うるし》を刷いたような漆黒《しっこく》の瞳には歓喜の熱も、ましてや失望の色も見受けられない。透明で静寂な眼差しだった。

形の良い唇にも、僅かに削《そ》げた頰にも血の色はない。生身のおんなというより、彫り物の観音菩薩《かんのんぼさつ》を思わせる、美しくもしんと哀しい風貌をしている。

そのひとは、頷いたあと唇を解いた。

「翁屋のあさひだす。今日は遠いところをお呼び立てしてしました」

くに訛りではあるけれど、毅然《きぜん》とした態度に、野江もやはり太夫として料理人に逢っているのだ、と澪は察した。

「私は伝右衛門殿に用があります。呼びに戻るまでゆっくりお話しください」

源斉はどちらに言うでもなくそう告げると、小女を促して部屋を出て行った。

残された料理人と太夫は、互いをじっと見つめ合う。十四年ぶりにも拘《かかわ》らず、幼馴染みの面影を手繰り寄せることは敢えてしない。ともに見えない壁を築《きず》いての再会だった。

「つる家の料理人であるお前《ま》はんに、教えてほしいことがおます」

掠《かす》れた声で野江は言い、何なりと、と短く澪は応えた。その返事を聞き、野江は澪の方へ身を傾けて一気に尋ねた。

「あの日、吉原が焼けたあの日に何があったのか、教えてほしいんだす。摂津屋さまを手引きしてお逃げ頂いたあと、私は気を失い、正気に返った時にはこの寮で寝かされてました」

又次がその命と引き換えに自分を救った、と聞いたが、詳細を語る者は居ない。些《さ》細《さい》なことで構わない、知っていることがあれば聞かせてほしい、と野江は懇願する。

又次の死の詳細を知れば、野江は自らを責めて苦しむだろう。だが、知らぬままでもやはり苦悩は続く。逡巡《しゅんじゅん》したものの、澪はやはり、自ら知ることを野江に伝えようと心を決めた。又次の願ったことを丁寧に伝えて、野江の苦しみを軽減できるように話そう、と。

「あの日のことだけでなく、又次さんが初めてつる家を訪れた時のことから、順を追って話させてください」

翁屋の遊女へ持ち帰りたい、と茶碗蒸しを求めに来た馴《な》れ初《そ》め。淡交を重ね、「三方よしの日」につる家の調理場に立つようになったこと。匂いのわからなくなった澪に代わって、主たる料理人としてその腕を振るったこと。多くのお客から慕われたこと。伝右衛門との約束のふた月が過ぎ、つる家を去る日のこと。そして……。

話が進むに連れて、光溢れる明るい部屋はどす黒く陰っていく。やがて焔《ほのお》の悪鬼《あっき》がふたりの周りを踊り狂い、焼け焦《こ》げた匂いが立ち込め始めた。眼前に、焔を潜り抜けて、あさひ太夫を背負った又次の姿が現れた。気を失った太夫を背中から下ろし、女料理人に又次は託す。

――頼む、太夫を、あんたの……あんたの手で……

又次の今わの際の言葉を聞いた時、野江は咄嗟に唇を覆った。だが、嗚咽《おえつ》を洩らすことなく、気丈にその手を膝に戻す。遺言の本意が自身の身請けにあるとは露ほども知らず、野江はただ、又次の喪失に耐えていた。

「又次さんは言っていました。太夫が晴れて大門を出るその日まで命がけで守る、と」

澪は、亡きひとの言葉を、ひとつひとつ、記憶を呼び覚ましながら口にする。又次のためにも、どうあっても野江に伝えておきたかった。

「太夫を守り通せたなら、自分の一生に何の悔いも未練もない。こんな俺でも、この世に生まれた甲斐があった――又次さんは私に、そう話していたんです」

澪は息苦しさを堪えて、そう結んだ。

恐ろしい幻は徐々に霞んで、秋の陽の射し込む長閑《のどか》な部屋へと戻った代わりに、重苦しい沈黙がふたりを包んだ。野江は組み合わせた両の指が白くなるほど握り締め、じっと痛みに耐えている。

あほやなぁ、と微《かす》かに声が洩れて、双眸から涙がすっと筋を引き、顎へと流れた。

「辛《つろ》うても、やはり聞かせて頂いて良かった」

ありがとさんだした、と野江は涙を拭うことをせず、膝に置いていた手を畳に移す。

「それに、つる家の皆さんにちゃんと弔《とむろ》うてもろて……。一番の気懸《きが》かりが無《の》うなりました。おおきに、この通りでおます」

野江は静かに言い、澪に深々と一礼した。

澪は思わず右の手を差し伸べて、野江の冷たい手に重ねた。その名を呼びそうになるのを、くっと唇を固く結んで耐える。盛り上がる涙を零《こぼ》すまい、と澪は瞳を大きく見開いて堪えた。

野江はそっと澪の手を外す。

「これまでにも、辛いことは仰山《ぎょうさん》、おました。けれど耐えてこられたんだす」

澪の視線を避け、野江は淡々とした声で続ける。

「私には、大事な幼馴染みが居るんだす。十四年前、大坂の洪水でともに天涯孤独の身ぃになった、大事な大事な幼馴染みが」

野江の右の掌が胸に置かれる。大切なものに触れるような手付きに、澪はそこに蛤《はまぐり》の片貝が収められているのを悟った。

「今は廓の籠の鳥。けれど、何時《いつ》か、遊女の衣を脱ぎ捨てて、その幼馴染みだけが知る、高麗橋淡路屋《こうらいばしあわじや》の末娘、野江の姿で逢うことを、生きる縁《よすが》としています」

かたん、と隣りの部屋で何かが落ちる音がした。だが、それに気を取られる前に、廊下から声がかかった。

「太夫、源斉です」

慌ただしくて済みません、と詫びながら、医師は襖を開いて入室した。

「つる家の料理人をそろそろ店へ送らねばなりません」

野江と澪とを交互に見て、源斉は申し訳なさそうに告げる。それを受けて、野江は枕もとに置かれた膳の布巾を外した。竹皮に包んだものがひとつ、載せられている。それを手に取ると、野江は澪の前へ差し出した。

受け取って顔を寄せれば、独特の甘い芳香が鼻を擽《くすぐ》る。ああ、と澪の口から声が洩れた。竹皮の中身は、おそらく……。

「大坂で『こぼれ梅』いう、味醂粕《みりんかす》だす。旦那衆のおひとかたから今朝届けられた、流山《ながれやま》の白味醂のもんやそうでおます」

又次のお供えに、と話す野江に、幼い日の野江の面影が初めて重なった。刻を遡り、天神橋を幼いふたりして、こぼれ梅を食べ食べ渡った日のことが澪の胸に帰る。

「では、これに入れて帰りましょう」

そう言って源斉が差し出したものを見れば、朱塗りに切箔《きりはく》を施《ほどこ》した二段の弁当箱だ。

「亡くなられた又次さんの代わりが出来るとは思いませんが、太夫の診察の日には、私がつる家の弁当の運び役になることを、伝右衛門殿に了承して頂きました」

随分な抵抗に遭いましたが、と御典医《ごてんい》の子息は朗《ほが》らかに笑った。

又次の死によって断たれた糸を、源斉は結び直す心づもりで居てくれたのだ。それを知り、澪と野江は初めて互いに潤んだ眼差しを交わした。

今はまだ名乗り合わないけれども、何時か必ず、親からもらった名を呼びあう日が来ることを信じている――その気持ちが通じ合っただけで互いに充分だった。

簡単に別れの挨拶を済ませ、源斉に促されて部屋を出た時、聞き覚えのある翁屋の内儀の声が階下から響いた。

「摂津屋の旦那様はもうお帰りになられたのかい？」

小女に問うその声を耳にして、澪は、入口の藤色の履物の主《ぬし》に思い至った。そのひとと鉢合わせにならずに済んだことに、ほっと安堵した。

十三夜の月の出は、存外早い。九段坂の上にまだ陽があるうちに、俎橋の方角から密《ひそ》やかに上る。その姿はごくごく薄くて、目を凝らさねばわからぬほどだ。

「おお、お出ましだな」

通行人たちは足を止め、蛤を思い起こさせる優しい形の月に目を留めた。

「さあさ、つる家は今宵《こよい》、長月二度目の三方よしで、お酒が出ますよ。旨い肴と旨い酒で、後の月を愉《たの》しんでいってくださいな」

つる家の表に立ち、手拍子を打って、老婆の下足番《げそくばん》がお客を呼んでいる。

「俺ぁ、十五夜はここで里芋を食ったからな。片月見にならないようにしねぇと」

そんな言い訳をして、つる家の暖簾を潜るお客が後を絶たなかった。

今戸から戻った料理人の手で肴が仕上げられ、酒の仕度も整った。お客らは、まず、今夜の月見に欠かせない枝豆や栗《くり》を摘まみつつ、熱くした酒で身体を温め、腰を落ち着けてゆっくりと料理を楽しむ。

「おい、親父《おやじ》、こりゃあ一体何だ」

三寸（約九センチ）ほどの長さの何かに、薄く粉を叩《はた》いて揚げたもの。箸を使うまでもなく、指で摘まんで食するのに丁度いい形だ。種市は膳を運ぶ足を止めて、にやりと笑った。

「まぁ食ってみてくんな。この時季には嫌《いや》ってほど馴染みの根の物だが、切り方ひとつで謎だらけ。魂消《たまげ》ること間違いなしだからよぅ」

店主の言葉に、訝《いぶか》りながらお客たちはがぶりと半分口に入れ、驚きのあまり眼を見張った。己の口から無数の糸が出て、あたかも蜘蛛《くも》にでもなったようなのだ。お客らは唸り、残る半分を具《つぶさ》に眺めて、舌を巻いた。

「こいつぁ蓮根だ」

「そうとも、確かに蓮根だ」

常は穴の形が見えるよう輪切りにする蓮根を、敢えて縦割りにしてある。ただそれだけなのだが、歯触りも味わいもまるで別物に変わっていた。

「澪姉さん、お客さんたちが、ほら」

注文が途絶えたこともあり、間仕切り越しに座敷を覗いて、ふきは澪を呼んだ。だが、返事はない。訝しげに振り返ると、女料理人が鉢に玉子を割り落としているところだった。登龍楼との賭けの料理を考案しているのだ、と悟ったふきは、邪魔にならないよう黙って汚れ物を洗い始めた。

澪は息を詰めて、白身を鉢に流し、黄身は玉子の殻《から》の中に残す。黄身だけを用いて料理に使えないか、と先刻から考えていたのだ。

源斉の素朴《そぼく》な疑問は、誰もが一度は抱くこと。味わいの濃厚な黄身だけを料理に用いれば、贅を尽くすことに慣れている廓のお客も驚くだろう。出来れば形を崩さず、この丸く優しい姿を生かしたいのだが。

殻の中の黄身に見入っていると、ふっと野江の姿が浮かんだ。長い髪を緩く結び、玉簪で留めている姿が。

「簪……。鼈甲の簪……」

貴重な鼈甲を幾層にも重ね合わせて作られた、如何にも粋で豪奢《ごうしゃ》なあの色と形。

ごくりと喉《のど》が勝手に鳴った。何かが掴めそうだった。

深夜、木戸番の打つ拍子木がやけに大きく聞こえている。

「お澪坊、あんまり根《こん》を詰めるんじゃねぇよ」

店主は料理人に声をかけると、寝酒の酒を抱えて内所《ないしょ》へと姿を消した。今夜ここに泊まることを決めた芳は、とうに、ふきとともに二階へ引き上げている。ひとりになった調理場で、初めて澪は強い疲労を覚えた。半分開いた引き戸から外を覗けば、路地の狭い空に十三夜の月が浮かんでいる。月が黄身に見えて、澪はじっと考えた。

鼈甲の玉簪に似た黄身を作るには、どうすれば良いだろうか。加熱してしまえば、あとから味を入れることは難しい。また、鼈甲色に仕上げることは無理だろう。あの形を壊さず、味を入れるにはどうすれば……。

生のまま、何かに漬《つ》け込むしかない。そして、出来れば熱を加えずにその味のまま、食べられれば良いのだが。果たしてそんなものが作れるのだろうか。

澪は引き戸から離れ、調理場の中をうろうろと歩き回った。糠《ぬか》漬《づ》けの樽《たる》を覗いては首を振り、醬油を手にしてはまた放す。塩と酢を舐《な》めては吐息を洩らした。

「そうだ、お味噌……」

そう言えば切り身の魚を保存するために考案された、味噌漬けという手法がある。海から離れた京の都でよく好まれる。澪もこのつる家で、白味噌ではなく仙台味噌を用いて味噌漬けを作ったことは幾度かあった。あれを応用できないだろうか。

澪は弾《はじ》かれたように擂《す》り鉢《ばち》を取り出すと、二種の味噌を混ぜ合わせた。酒と味醂で味を足したところで、手が止まる。これではありきたりだ。魚と違い、玉子に似合う味、そう、もっと奥の深い甘みを出したい。

ふと、何かに呼ばれた気がして、澪は頸《くび》を捩《ね》じり、板敷に目を向けた。小さな壺《つぼ》を安置した棚に、竹皮に包んだものが置かれている。亡きひとに供えられたそのこぼれ梅が、確かに澪を呼んでいた。

登龍楼との約束の日の、早朝のことだ。

つる家の調理場には、澪のほか、店主の種市とふき、前夜から泊まり込みの芳の他、戯作者清右衛門の姿があった。

「俺ぁ呼んでねぇのによぅ」

不満を洩らす店主のことを、ひと睨みして、清右衛門は、

「さっさと首尾を見せろ」

と、料理人を怒鳴りつけた。

澪は頷いて、塗り物の器の蓋《ふた》を取った。仄《ほの》かな味醂と味噌の香りがふわりと立つ。詰められているのは滑《なめ》らかに練り上げられた味噌状のものだ。澪の指が中の晒《さら》しを捉《とら》えた。ゆっくりと晒しの端を持ち上げると、味噌状の生地の層が中ほどで剝《は》がれた。露《あら》わになった幾つもの窪《くぼ》みに、密かに眠る何か。澪はひとつを慎重に箸で摘まみ上げて、小皿に移す。ころりと丸い、可愛《かわい》らしい珠《たま》に見える。

「お澪坊、こいつぁ……」

皿に腕を伸ばしかけた店主を押しのけ、清右衛門は珠を指で摘まみ上げた。そのまま高く掲《かか》げて朝の陽射しに透《す》かすと、珠は鼈甲色に艶々《つやつや》と輝いて見えた。

きれい、とふきの小さな声が洩れる。

味噌とこぼれ梅の配合を替えて、色々と試行錯誤を繰り返した。漬けて三日の今が一番美味しい、というのも確認した。あとは食すひとの判定を待つばかり。

ああ、と店主の悲鳴が尾を引く中、清右衛門は珠を口に放り込んだ。まずは舌触りを確かめるようにゆっくりとひと噛み。鼻から息を深く吸い、口の中のものを確かめるようにふた噛み。

「ただの味噌漬けかと思えば……。この馥郁《ふくいく》たる香りと味わいはどうしたことか」

おい、一体何を用いた、と詰問されて、澪は淡く微笑んだ。口を割らない料理人を睨んで、戯作者はゆるゆると咀嚼《そしやく》を再開する。次第に口角《こうかく》が上がり、不敵な笑みが浮かんだ。

「名は何とつける」

「鼈甲珠《べっこうだま》、と名付けようと思います」

ふん、と軽い鼻息が洩れた。戯作者はそれきり何の感想も告げず、小謡《こうたい》でも謡いそうな軽《かろ》やかさで、勝手口を出て行った。間を置かずして、愉快で堪らない、とでも言いたげな朗笑が路地の方で木霊《こだま》のように響いていた。

残された者たちは呆気《あっけ》にとられたあと、互いに眼差しを交わして頷き合う。偏屈の戯作者の上機嫌が、これほど心強いとは誰も思いもよらなかった。

「お澪坊、構わねぇから、これを持って早く登龍楼へ乗り込んできな」

俺が味をみて験《げん》が悪くなるといけねぇから、と店主は強く勧めた。

鼈甲色が引き立つよう、底の白い蓋物の小鉢に黄身をひとつ移し替える。調理法を決して悟られぬように、漬け込んだ味噌は添えなかった。それを野江の弁当箱へ入れて、風呂敷で丁寧に包む。

店主と芳、それにふきに見送られてつる家を出る。晩秋の高い空が外で待っていた。眠りから目覚めて動き始めた街の中へと、澪は、ひとり、飛び出して行く。

登龍楼に着いたのは、丁度、朝五つ（午前八時）の鐘の鳴り終える頃だった。

店の手前で立ち止まり、澪は蒼天を仰ぐ。

——いつか、遊女の衣を脱ぎ捨てて、その幼馴染みだけが知る、高麗橋淡路屋の末娘、野江の姿で逢うことを、生きる縁《よすが》としています野江の声が耳に帰ってくる。

どうあっても、と澪は自身の掌を開き、それをぐっと拳に握った。

どうあっても、この手で野江を取り戻す。途方もないこと、と怖気《おじけ》づくのはもう止《や》めだ。ただ厚い雲の下に居て、切れ間を待つのではない。自ら飛翔《ひしょう》し、雲を切り拓《ひら》いて行くのだ。そのためにも、この賭けに負けなどしまい。

そう誓うと、澪は大きく前へ足を踏み出した。

一日の商いを始めるために活気づく店の前を素通りし、木戸の前へ立つと奥へ向けて案内を乞う。待機していたのだろう、すぐに中庭に件《くだん》の使いの男が現れ、奥座敷へと澪を招き入れた。藺草《いぐさ》の芳香のする部屋に、痘痕《あばた》面《づら》の男がひとり、座っていた。

「いい加減、待ち草臥《くたび》れましたよ」

登龍楼店主采女宗馬は、舌なめずりせんばかりの表情で澪を迎える。すぐに味をみることが出来るように、とのことだろう。膳の上に箸と取り皿が用意されていた。

澪は無言のまま風呂敷を解いて弁当箱を開き、中の小鉢を取り出した。采女の膳を引き寄せて小鉢を載せ、またゆっくりと押し戻した。

差し出された器の蓋を摂ると、采女は不審そうに底を覗く。

「これは？」

唇を固く結んだままの料理人に目を向けて、問いに答える意思のないことを読み取ると、采女は薄く笑った。

器に鼻を寄せ香りを吸い込む。そうして徐《おもむろ》に箸で中身を目の高さまで摘まみ上げると、じっと見入った。

「玉子の黄身の味噌漬けか」

鼻と目で存分に味わったあと、采女はしたり顔で澪を見た。

「玉子の糟《かす》漬けは料理書にある。黄身だけを焼塩に漬けたものは『琥珀《こはく》玉子』と名付けられ、やはり料理書に載っている。それを味噌に替えただけでしょう。簡単に料理の正体が知れるようでは詰まらないことですな」

おおよその味わいも見当がつく、と冷笑する。

そんな采女の眼差しを受け止めて、澪はふっと軽く笑った。耳の奥に、戯作者清右衛門の朗笑が響いていた。百万の味方を得た思いになる朗笑が。

澪の落ち着き払った様子が意外だったのだろう、登龍楼の主は僅《わず》かに眉根を寄せ、箸を口に運んだ。嚙み締めた途端、はっと双眸が見開かれる。

澪は試作の品を初めて口に含んだ時の衝撃を思い返していた。火を通していないはずが、生の黄身とは思えぬほどの、あのねっとりとした風味。歯と舌、両方に絡んでくるあの驚愕の粘り。料理人としての経験を寄せ集めても、決して想像のつくものではない。玉子の持てる力を凝縮したかの如き味わいは、澪にとって未知のものだった。

采女宗馬は眉間に皺を寄せ、咀嚼を続け、刻をかけて口の中のものを胃の腑へと送った。澪にはその狼狽が手に取るように理解できた。

「この程度で四千両とは恐れ入った」

声が割れていた。

澪は黙って、真っ直ぐに采女の目を見る。

「黄身の味噌漬けなど、少しばかり知恵の回る料理人ならば考え付く料理だ。それを四千両などと、ふざけたことを」

言い募《つの》れば言い募るだけ、己の負けを認めることになるとは、登龍楼の店主は気付いていない。

「お気に召さずに済んで、安堵しました」

空の小鉢に手を差し伸べて弁当箱に戻すと、澪は背筋を伸ばして采女を見た。

「どのみち、またすぐに真似をして、登龍楼の献立に取り入れるのでしょうね」

澪は淡く笑ったあと、はっきりした声で続けた。

「ですが、同じ味に仕上げることは無理です。紛《まが》いは紛い、決して本物を凌《しの》ぐことは出来ません」

「大した自惚《うぬぼ》れようだな」

采女宗馬は激しい怒りを露にして、吐き捨てる。

「たかが女料理人、捻《ひね》り潰すことなどわけもないことだ」

「潰されたりしません」

即座に切り返すと、澪は風呂敷包みを手に取った。

「これまでがそうだったように、これからも、決してあなたの思うようにはなりません」

自分でも不思議なほど静かな声で告げると、澪は一礼して立ち上がった。采女から呼び止められることもなく、座敷を離れ、中庭から外へと抜け出ることが出来た。

登龍楼を離れて、外濠沿いに佇《たたず》むと、澪は両の手を膝頭《ひざがしら》の辺りに置いて、はあ、と大きく息を吐いた。緊張が解けて、総身に冷たい汗をかいていた。

息を整え、懐から巾着を取り出す。中身を掌に空けると、片貝の他に紙を結んだものがひとつ。いつかの神籤をそこに仕舞っておいたのを忘れていた。

結び目を解いて、神籤を開く。

凍《い》てる道を標《しるべ》なく行くがごとし、と書かれた部分を手でなぞり、これからの艱難辛《かんなんしん》苦《く》を思う。登龍楼との関わりは、佐兵衛の願いに反して、これからも断ち切れないものかも知れない。

それでも、と澪は呟いた。

神籤は吉。凶ではなく、吉なのだ、と。重く垂れこめる雲に切り込んで、どこまでも高く飛ぼう、と澪は天を振り仰いだ。

寒中の麦——心ゆるす葛湯《くずゆ》

赤や黄、橙《だいだい》や茶、飴《あめ》色など、樹木が彩《いろど》りの衣《ころも》を纏《まと》う季節となった。お裾《すそ》分《わ》けか、色付いた葉がひとびとの頭上にはらはらと降り、一陣の風に絡《から》め取られる。

神保小路《じんぼうこうじ》の日陰に吹き寄せられた落ち葉が、今朝は白っぽく見えた。じっと目を凝《こ》らせば、薄く霜が降りて凍《こご》えている。道理で寒いはずだわ、と澪《みお》は小さく身震いして、無防備な両の手に息を吹きかける。吐いた息は一瞬、白く凍り、僅《わず》かに掌を湿らせてすぐに消えた。

「あら？」

俎橋《まないたばし》を渡りかけて、澪は足を止めた。

対岸の俎河岸《がし》では材木の荷揚げが始まり、相当に賑《にぎ》わっている。行き交う人足《にんそく》の間に、見覚えのあるひとの姿を認めた。狭い肩幅に比して大きな頭の目立つ後ろ姿、あれは戯作者清右衛門《げさくしゃせいえもん》ではなかろうか。その脇の、白髪に丸くなった背中の主は……。

まさか、と澪は首を横に振った。りうならまだしも、その取り合わせは無い。お年寄りは背中も丸いし、似たような後ろ姿になるものだわ、と思いつつ、確かめるように瞳《ひとみ》を凝らしたが、最早《もはや》ふたりの姿は中坂の方へ消えてしまっていた。

「あ、澪姉さん」

つる家《や》の勝手口の外にある井戸で水を汲《く》んでいたふきが、澪の姿を認めて腰を伸ばした。

「お早うございます」

お早う、と応《こた》えて、澪は先に調理場に入る。土間には土のついた青物《あおもの》が置かれ、調理台には桶《おけ》が積み上げられていた。中を覗《のぞ》けば、生きの良い鯊《はぜ》が沢山《たくさん》。店主は既《すで》に仕入れを終えていた。だが、その姿は内所《ないしょ》にも店の中にも見当たらない。

「ふきちゃん、旦那さんは？」

水桶を抱えて戻った少女に問うと、ふきは、それが、と当惑した表情になった。

「先ほど清右衛門先生がお見えになり、旦那さんを連れて何処《どこ》かへ行ってしまわれました」

ああ、ではあれはやはり、と澪は先の二人連れの後ろ姿を思い返していた。

「確かにここの親父《おやじ》だと思うんだが」

座敷と調理場を分ける間仕切りに近い席で、箸《はし》を取ったお客のひとりが、誰に言うでもなしに洩《も》らした。

「半刻《はんとき》(約一時間)ほど前か、世継稲荷《よつぎいなり》の境内《けいだい》で、腑抜《ふぬ》けみてぇに橙の樹《き》を見上げてたぜ」

「見間違いじゃねぇのか、この店の親父が今更《いまさら》、子授けもねぇだろうよ」

誰かの応える声が、暖簾《のれん》を出したばかりで未《いま》だ席に余裕のある座敷に響く。

店主の帰りがあまりに遅いのを案じていたこともあり、間仕切り越しにお客の遣《や》り取りを耳にした澪は、そっとふきを呼んだ。

「ふきちゃん、洗い物が済んだら、ちょっと世継稲荷を覗いて来てくれない?」

はい、と前掛けで手を拭《ふ》きながらふきが応えて、勝手口から飛び出そうとした時だった。ふきは急に立ち止まり、驚いて声を上げる。

「あ、旦那さん」

見れば、当の種市《たねいち》が、それこそ魂《たましい》を抜かれたように悄然《しょうぜん》とそこに立っていた。

澪は店主の前へ回って、焦点《しょうてん》の定まらぬ眼《め》を覗き込み、旦那さん、と呼びかけた。

それではっと我に返ったのか、種市は、漸《よう》く、自分のことを心配そうに見ている澪とふきに気付いた。

「悪いが、ちょいと横になるぜ」

そう言い置いて内所に向かう店主に、

「源斉《げんさい》先生に来て頂きましょうか」

と、澪は問いかける。

だが、種市は、要《い》らない、とでもいうように手を振ってみせた。


「弱りましたねぇ」

遅い賄《まかな》いを口にしていたりうが、そう言って内所へと目を向ける。店主が外から戻って以後、その襖《ふすま》は固く閉ざされたままだった。

「いつもは居ても居なくても良い、だなんて軽口を叩《たた》いてますけどね、店主に寝込まれるとこっちまで気が滅入《めい》って仕方がないですよ」

「あたしゃ、あんまり心配なんで、さっき、そっと覗いてみたんですけどね」

おりょうが洗い物を拭く手を止めて、くよくよと首を振る。

「夜着《よぎ》を頭から被《かぶ》って、身じろぎひとつしないんですよ。澪ちゃんが用意したお膳に手を付けた様子もないし……。偏屈の戯作者先生から、また厄介《やっかい》な噂話《うわさばなし》でも聞かされたんじゃないですかねぇ」

あの戯作者から良い話を聞いた例《ためし》がないし、とおりょうは唇を尖《とが》らせた。ただひとり澪を除いて、一同は確かに、と深く頷《うなず》いた。

そのあとも店主が内所から出てくることのないまま、つる家は一日の商《あきな》いを終えた。孝介《こうすけ》に連れられてりうが帰ると、芳《よし》は澪とともにこちらへ泊まることを決めた。

「ご寮《りょん》さん、ふきちゃんと一緒にお休みください。あとは私が」

店主の夜食を用意しながら、澪は芳に声をかける。少し迷った末に、芳はふきの肩を抱くようにして二階へと引き上げた。

下茹《したゆ》でした大根と蒟蒻《こんにゃく》、それに結び昆布《こんぶ》を昆布出汁《だし》でことことと炊く。別皿に田楽《でんがく》味噌《みそ》。精根尽きた時には「こん」のつくものを、との食養生《しょくようじょう》を守った夜食に、熱くしたちろりの酒を添えて、内所へ運ぶ。

「旦那さん、お夜食をお持ちしました」

声をかけて襖を開ければ、意外にも種市はこちらを向いて座っている。行灯《あんどん》の明かりが室内を仄《ほの》かに温かく見せていた。

「旨《うめ》ぇなあ」

熱い酒をきゅっと口にして、店主はつくづくと唸《うな》った。串に刺した大根を手に取り、田楽味噌をつけて口へ運ぶ。少し甘い味噌が口に合ったのか、頷きつつ嚙《か》み進む。

鍋を空《から》にすると、種市は盃《さかずき》を置いて澪に向き直った。

「お澪坊、俺ぁ一体、何をどう話せば良いのかわからねぇんだが」

躊躇《ためら》いがちに、店主は言う。

「例の火事の時から、お澪坊と翁屋《おきなや》には、何か俺の知らねぇ因縁《いんねん》があるらしい、と薄々思っちゃいたんだが、今朝、戯作者の旦那から、洗い浚《ざら》い聞いちまった。翁屋のあさひ太夫《だゆう》の身の上、お澪坊との関わり、それに……」

変に痰《たん》が絡んだ声になり、店主は二度、咳払《せきばら》いをしてから続けた。

「死んだ又《また》さんの望み、お澪坊の願っていること……正直、俺には途方《とほう》も無さ過ぎて、とても正気とは思えねぇんだが、清右衛門先生から、お澪坊を心底大事に思うなら先のことを考えろ、と釘《くぎ》を刺されちまった」

ひと言、ひと言、あたかも自分に言い聞かせるように、店主は話す。

「今日一日、考えに考えて、俺ぁ腹を括《くく》った。お前さんをこのつる家から送り出す算段を整えることに決めたぜ」

ただし、お澪坊とつる家、両方の行く末にしっかりとした目途《めど》が立つまで時をくんな、と店主は畳に手をついた。

「無論、ずるずると引き延ばす真似《まね》はしたくねぇ。吉原廓《よしわらぐるわ》の仮宅《かりたく》は一年から二年、と聞いている。翁屋が仮宅を終えて吉原に戻る日を、一応の目安にさせてもらえまいか。この通りだ、お澪坊」

「旦那さん、止《よ》してください」

澪は狼狽《うろた》えて店主の顔を上げさせようとしたが、種市は深く頭を下げたまま、動こうとしない。その姿が、老人の揺るぎない決心を伝える。

ああ、旦那さんは本気だ。本気で私をつる家から出されるのだ。そうした形で、私の背中を押してくださるおつもりなのだ——店主の真意を悟《さと》り、その温情が骨身に沁《し》みる。感謝の言葉を、と探すものの見つけることが出来なかった。

「旦那さん」

澪は声を絞《しぼ》り、額《ひたい》を畳に擦《す》り付けた。

「昨日は心配かけて済まなかった。鬼のかく乱ってやつだ、堪忍してくんな」

翌朝、そう詫《わ》びる店主の姿に、芳もおりょうもりうも、それにふきも、ほっとした表情を見せた。店主が何か事情を抱《かか》えつつもそれを乗り越えたことに安堵《あんど》し、根掘り葉掘り尋ねようとはしなかった。種市は澪を見て頷く。店主が昨夜の約束を他に洩らさぬ心づもりなのを悟り、澪もまた大きく頷き返した。澪自身も、今はまだ誰にも話すつもりはなかった。

「つる家さん、つる家さん」

朝早くに済みません、と店の表で案内を乞《こ》う声がしている。よく知る声に、全員が顔を見合わせた。常《つね》は昼餉時《ひるげどき》を過ぎてから、戯作者とともに現れる例のひとだった。

「ご店主と澪さんに、是非ともお力を貸して頂きたいことがありまして」

店開け前の、がらんとした入れ込み座敷に通されると、坂村堂《さかむらどう》は開口一番そう言って、丸い眼《め》をしょぼつかせ、落ち着きなく泥鰌髭《どじょうひげ》を撫《な》でた。

店主と料理人は、訝《いぶか》しげに視線を合わせる。

芳とおりょうは会話の邪魔をしないように気遣《きづか》いながら、入れ込み座敷にお客を迎える準備に取り掛かっていた。

「ほかでもない、坂村堂さんの頼みごとってぇなら、大抵のことはお受けしますぜ」

何でも言ってみてくんな、と店主は水を向けた。それで決心がついたのだろう。実は、と坂村堂は種市と澪とを交互に見た。

「日本橋佐内町の旅籠《はたご》『よし房《ふさ》』の店主、房八《ふさはち》さんのことを覚えておられますか？」

房八、と繰り返し、おりょうが掃除の手を止めた。

「ああ、あの暑苦しいひと。確か、ほら、ご寮さんに色目を使った、あの暑苦しいお年寄りですよ」

ああ、と一同揃《そろ》って頷いたのを見て、坂村堂は辛《つら》そうに身を縮《ちぢ》める。房八は、坂村堂の父親柳吾《りゅうご》の竹馬《ちくば》の友で、昨夏、芳に懸想《けそう》して追い回した経緯があった。

「あの暑苦しいの……もとい、よし房の旦那がまたご寮さんを後添《のちぞ》いに欲しいとでも言い出しやがったんですかい」

店主の切り口上《こうじょう》を受けて、違います違います、と坂村堂は必死で打ち消した。

「実は房八さんは、先達《せんだつ》て後添いをお貰《もら》いになられまして」

おやまあ、と声がして、下足棚《げそくだな》の陰からりうが顔を出した。

種市が素《そ》っ気《け》なく応え、おりょうがやれやれ、と安心したように首を振る。

「へえ、後添いをねぇ」

「何ておめでたいこと。あたしゃよし房の旦那に会ったことはありませんが、年寄りが連れ合いを得て幸せになる、ってのは夢のある話ですよ」

りうはうっとりと両の手を組んでいる。

「ひとは齢《とし》を重ねれば重ねるだけ、寂《さび》しくなっていく。誰かを支《ささ》え、誰かに支えられてこそ、生きる望みも湧《わ》くというものです。『貞女二夫《ていじょにふ》に見《まみ》えず』だなんて余計なお世話、あたしだってまだ捨てたもんじゃありませんよ」

夢見る口調のりうを横目で見て、種市は、桑原《くわばら》、桑原、と震え上がった。

「ご寮さんなら引く手数多《あまた》だろうけどよぅ」

店主の言葉に皆の視線が芳に集まり、その話はもう、と言いたげに芳は頭を振った。

「それでは、坂村堂さんからのお願いというのは？」

滞から控《ひか》えめに問われて、版元《はんもと》は漸《ようや》く用件を口にした。

曰《いわ》く、房八は「よし房」にて内々の祝いの宴《うたげ》を催《もよお》すことを望んで、一柳《いちりゅう》に料理の仕出しを依頼したが、柳吾本人から断られてしまった。そこで房八は、つる家に仕出しを頼めないか、と坂村堂に泣きついたのだ。

「ちょっと待ってくださいよ」

おりょうが坂村堂の方へ身を乗り出した。

「暑苦しいのと一柳の店主とは、幼馴染《おさななじ》みのはず。宴の料理くらい引き受けてあげたって罰《ばち》は当たらないだろうに」

「仕出しやから、断らはったんやと思います」

さり気なく、芳が応える。

「一柳の料理は、一柳の座敷で味わってこそ、だすのやろ」

そんなもんかねぇ、とおりょうと種市は揃って首を捻《ひね》った。

「坂村堂さん、その宴には坂村堂さんも呼ばれてらっしゃるんですか?」

りうの問いかけに、坂村堂は頷いた。老女はさらに問いを重ねる。

「なら、一柳の旦那さんは?」

「無論、父も招かれていて、出席すると聞いています」

版元の返答に、そうですか、とりうは含みのある声で頷いた。柳吾と坂村堂の長年に亘《わた》る不仲と、坂村堂が和解を強く望んでいることを、つる家の面々は熟知している。祝いの宴の席が、もしかしたら和解のきっかけになるかも知れない。澪は店主とさり気なく眼差《まなざ》しを交わした。

「ようございますよ、坂村堂の旦那」

ぽんと膝《ひざ》を叩いて、朗《ほが》らかに店主は言う。

「その話、引き受けさせて頂きましょう」

「ありがとうございます」

喜色満面、坂村堂は幾度も頭を下げる。

「祝いの宴は何時《いつ》なのでしょう?」

澪に問われて、それが、と坂村堂は申し訳なさそうに身を縮めた。

「神無月《かんなづき》三日なのです」

つる家の三方よしの日と重なりますが、宴は昼過ぎには終わりますから、と版元は言う。

ひぃふぅみぃ、と指を折って、

「十日ののちですかい、そいつぁ骨折りだ」

と、店主は目を剝《む》いている。

「このところ、頼まれごとをするのは大抵、『三方よしの日』ばかりですねぇ」

つる家の看板娘は歯のない口を、思いきり窄《すぼ》めてみせた。

坂村堂を送って表へ出ると、俎河岸に荷が上がったのか、威勢《いせい》の良い声が響いていた。街の一日がこれから始まろうとしている。

「ご寮さんというひとは、とても聡《さと》いかただ」

俎橋の手前で澪を振り返って、坂村堂はつくづくと洩らした。

「一柳の座敷で味わってこそ、という台詞《せりふ》は、料理屋の真髄《しんずい》を知らなければ出てきません」

版元の言葉に、澪は深く頷く。亡くなった嘉兵衛《かへえ》もまた、仕出し料理の依頼は一切受けなかったが、その理由を澪は嘉兵衛本人から次のように教わっていた。

料理屋が料理に最も重きを置くのは当然だが、それのみでは足りない。器《うつわ》や膳に気を配るのは無論のこと、掛け軸や花器の花を含む部屋そのものの設《しつら》え、障子《しょうじ》から覗く景色の風情《ふぜい》、給仕する者の気働き等々。そうした全《すべ》てが整ってこその料理なのだ、と。

「日常を支える料理、晴れの日を寿《ことほ》ぐ料理。目的が違えば、選ぶ料理屋も違ってきます。ただ……」

坂村堂は眩《まぶ》しそうな眼差しを澪に向ける。

「澪さんなら、その両方で通用する料理を作れるでしょう。否、これまで分かれていた料理屋同士の仕切りを取り払えるかも知れない。よし房への仕出し料理が、今から楽しみでなりません」

一応、こんなものを用意してきました、と版元は懐《ふところ》から書付を取り出した。受け取って開いてみれば、宴に参加する六名の年齢や、好き嫌い、苦手な料理などが細かく記されていた。澪は思わず書付を胸に当てる。

「助かります」

「仕入れ代なども全てよし房で持つので、遠慮なく良いものを使ってください」

きっと受けてもらえる、と踏んでそこまで話を詰めてきました、と版元は悪びれずに言って泥鰌髭を撫でている。憎めない仕草に、澪はほのぼのと笑った。

「日本橋伊勢町の大坂屋《おおさかや》でございます」

二日後、馴染みの手代《てだい》が大切そうに風呂敷《ふろしき》に包んだ品を抱えて、つる家の勝手口に現れた。

「こちらがご注文の白口浜《しろくちはま》の元揃昆布《もとぞろいこんぶ》、大坂屋でも滅多《めった》とない、正真正銘極上の真《ま》昆布でおます」

板敷で風呂敷を開くと、愛《いと》おしむ手つきで分厚い真昆布の束を取り出した。お代はよし房はんより既に頂戴《ちょうだい》しておます、と手代は眩しそうに澪を見た。

「もう献立《こんだて》は全て決めてはるんだすか？」

いえ、と澪は首を横に振る。主《おも》だったものは詰めたが、まだ決めかねているものもある。

「ただ、昆布を使った一品に関しては、必ず作ろうと決めています」

「これほどの真昆布を、ただ一度の宴のために、こない仰山《ぎょうさん》使わはるとしたら、一体どないな料理やろか、と大坂屋でもその話題で持ちきりでおます」

手代は、調理場にふきひとりしか居ないことを素早く確かめた上で、

「うちの主《あるじ》が申しますのに、もしかして」

と、両の掌で口を囲い、澪の耳もとに或《あ》る料理の名を囁《ささや》いた。澪は一瞬、驚いて双眸《そう》双眸《そうぼう》を見開き、手代の顔をしげしげと見返す。

「驚きました。そうです、その料理を、と考えています」

澪の返答に、ああ、やはり、と手代は小膝を打った。

「私ら昆布を扱う者にとっては、それはまさに誉《ほま》れとなる料理だす」

良かったなあ、お前《ま》はんら、と手代は言って脇に置いた昆布の束を撫でた。

大坂生まれの澪にとって昆布は親しみ深い食材で、つる家でもよく用いるが、本来は江戸っ子たちはあまり好んで口にしない。油で揚げて口寂しい時に食べる程度なのだ。だからこそ、昆布の中でもとりわけ高価な真昆布をふんだんに用いて料理を作れることが、澪にはありがたくてならなかった。

重ねた昆布を竹皮で軽く結わえ、大鍋に入れて灰汁《あく》を取りつつ水から煮ていく。最初に酢で味の尖《とが》りを取り除き、味醂《みりん》、醤油《しょうゆ》と酒で柔らかく煮含める。途中、竹皮を外《はず》し、落とし蓋《ぶた》をして、どかんと重石《おもし》を置いた。一連の作業を、ふきは傍《かたわ》らで不思議そうに見守る。澪はほんのり笑って、この料理はとても手間がかかるの、と教えた。

時に火を入れ、時に火から外し、重ねた昆布に刻《とき》をかけてじっくりと味を入れ、旨《うま》みを閉じ込めていく。丁度、赤子を育てるように始終目《しじゅう》を行き届かせ、気を配り、決して疎《おろそ》かにしない。そうすることでしか、生まれない味があった。昆布は「喜ぶ」に通じるし、刻をかければ美味《おい》しくなるところなど、婚礼の宴には相応《ふさわ》しい料理になるだろう。

それに、願わくは坂村堂と柳吾との対話のきっかけに出来れば、と澪は祈った。

夕刻になれば、ひと足先におりょうが帰り、夕餉《ゆうげ》の書き入れ時を過ぎれば、あとは暖簾を終《しま》うまでゆっくりと刻は流れる。

「孝介は、そろそろ店を出る頃ですかねぇ」

賄いの夜食を食べながら、りうが呟く。

布巾の綻《ほころ》びを直していた芳が、ふと手を止めた。

「孝介さんは優しおますなあ、一日の商いでお疲れでしょうに、奉公人任せにしはらんと、ご自分でお母さんをここまで迎えに来はるやなんて」

りうさん、お幸せだすなあ、と芳はつくづくと洩らした。

佐兵衛《さへえ》の無事が知れ、芳に初孫を抱いてもらいたい、との優しい文をもらいはしたが、佐兵衛は佐兵衛で新しい生活に馴染むのに懸命なのだろう、まだその機会に恵まれない。芳の声に潜《ひそ》む孤独を察したのか、りうは、箸を置いて、軽く頭を振った。

「そんな絵に描いたように幸せな家なんて、ありゃしませんよ。孝介と私だって、これまで色々ありましたとも。口入屋《くちいれや》は死んだ亭主の生業《なりわい》でしたが、海千山千を相手にすることも多いし、あたしゃ孝介にだけは継がせたくはなかったですからね」

りうの言葉が意外で、澪はお櫃《ひつ》を洗いながら、背後のふたりを顧《かえり》みた。

「親なんてのは、詰まらないものですとも。子には子の幸せがある、と頭でわかっていても、それが親の思い描いていた幸せの形と違えば、色々考えてしまうんですよ。子が幸せなら自分はどうでも良い、と無理に思おうとすればするほど、逆に親子の絆《きずな》に囚《とら》われすぎて苦しくなるものなんです」

「りうさん、そこに囚われへんようになるには、どないしたらええんだすやろか」

思い詰めた声で問う母親に、りうは皺《しわ》だらけの手を伸ばし、その腕を優しく撫でる。

「子の幸せと親自身の幸せを混同しないことです。いっぱしに成長したなら、子には自力で幸せになってもらいましょうよ。そして、親自身も幸せになることです。ひとの幸せってのは、銭のあるなし、身分のあるなしは関係ないんです。生きていて良かった、と自分で思えることが、何より大事なんですよ」

「生きていて良かった、と自分で思える……」

ゆっくりと嚙み締める口調で、芳は老女の言葉を繰り返す。りうの台詞《せりふ》は、芳ばかりではなく、澪の胸にも沁み渡った。澪自身、芳には誰よりも幸せで居てほしい、と切に祈る。

「お客さんのお帰りだよ」

座敷から種市の声がした。店主を捉《つか》まえて話し込んでいた最後のお客が漸《ようや》く腰を上げたのだ。慌てて立ち上がろうとする下足番の老女を制して、私が行きますよって、と芳が席を立った。

「今晩は」

芳と入れ違うように、坂村堂が土間伝いに調理場へ顔を出す。暖簾を終ったあと、宴の献立について話し合うことになっていたのだ。

調理場には母親同士の会話の余韻《よいん》が残っている。お客の見送りを終えれば、芳とりうとの間でまた対話があるかも知れない。澪はさり気なく、

「丁度、今、座敷が空いたようですので、そちらで」

と、坂村堂を入れ込み座敷へと誘《いざな》った。

伊勢海老《いせえび》の刺身、真鯛《まだい》の松皮造り。自然薯《じねんじょ》の擂《す》り流しに、蓮根饅頭《れんこんまんじゆう》。春菊と松の実

の和《あ》え物、昆布の一品。白飯とは別に赤飯も用意して、持ち帰れるようにする。

示された献立案を前に、坂村堂は尋ねた。

「この案だと、婚礼につきものの鱚《きす》や鮑《あわび》は使わないのですね？」

ええ、と澪は答える。

「いずれも旬《しゅん》を外《はず》していますので。今の時季に最も美味しいものを、美味しく召し上がって頂くのが一番だと考えました」

確かに、と坂村堂は満足そうに笑った。あとは、と澪は新たな提案を口にする。

「細工包丁は使えないのですが、『縁結び』に繋《つな》がるよう、紅白の蒲鉾《かまぼこ》か何か、結んだものを椀だねに用いたいと考えています」

結んだもの、と繰り返して、坂村堂は、ほろ苦い表情になった。

「澪さんは、『結び豆腐』をご存じですか？」

「確か、長細く切った豆腐を酢に浸けて、自在に結ぶというあれでしょうか？」

澪の答えに、坂村堂は大きく頷いた。

およそ料理の道に入った者ならば、一度は耳にする謎《なぞ》の料理に「結び豆腐」と「黄身返し玉子」の二種がある。前者は「豆腐百珍」、後者は「万宝料理秘密箱」という料理書で取り上げられたものだ。豆腐を自在に結べるか、茹《ゆ》で玉子の白身と黄身を反転させることが出来るのか、謎は尽きない。

「一柳の板場で料理修業をしていた若い日、私は料理書に魅《み》せられて、そこにあった料理を片っ端から試《ため》そうとしました」

坂村堂は、悔《く》いる口調で続ける。

「書で学ぶのは大事ですが、書は所詮《しょせん》、書でしかない――父は私に何とかそれをわからせようとしたのですが、私は全《まった》く聞く耳を持たなかったのです」

結び豆腐や黄身返し玉子などに魅せられて、夢中になった。その姿勢を柳吾に諭《さと》され、口論となって家を飛び出したのだという。

「今にして思えば、私は料理そのものよりも、やはり書の方に興味があった。版元になったことを悔いたことはないのです。ただ、耕書堂《こうしょどう》という版元で奉公して以来、数多くの料理書に接する機会を得て、漸くわかったことがありました」

料理書の中には、真実、料理人の知恵と工夫が詰まった書もある替わり、ただ読物として楽しむべき書も多い。書に振り回されていては、料理の本質を見失う。父の柳吾が言わんとしたことが遅ればせながら身に沁みた、と坂村堂は切々と語った。

「一柳を離れて初めて、あの店が料理屋としてどれほど素晴らしいかがわかりました。房八さんから聞いた話によれば、父は一柳を自分の代限り、と決めているそうです。

だが、あんな名店は今後もまず出ないでしょう。私は長い親不孝の詫びとして、娘の加奈《かな》に父の目に適《かな》う料理人の婿《むこ》を取り、跡を継がせようと思っているのですよ」

今度の宴を父との和解のきっかけに出来ればと願っています、と結んで、坂村堂は澪に深く頭を下げた。

「ほうか、坂村堂さんが、そないなことを」

夜着を二枚重ねて、澪と身を寄せ合い暖を取っていた芳が、しんみりした声で言う。金沢町の裏店《うらだな》の路地で、あれほど賑やかに鳴いていた虫の音《ね》も今は絶えた。板壁の節穴《ふしあな》から差し込む月明かりが寒々しく、この刻限になると室内でも吐く息は白い。

けどなあ、と芳は続ける。

「一柳の灯を絶やさんことが一番の親孝行やと思うてはるのは、もしかしたら違うんやないやろか。何もかもを受け止めて守り抜く覚悟のない者が、ただ店の名ぁを残すためだけに跡を継いだかて、あとあと虚《むな》しいだけだす」

天満一兆庵《てんまいっちょうあん》の再建を断念した芳の言葉は、澪の胸に重く響く。澪はどう応えて良いかわからず、夜着に鼻まで埋まって、じっと息を凝らした。

眼を閉じれば、今も白地に丸に天の字を染めた天満一兆庵の暖簾が浮かぶ。もう一度あの暖簾を、と切なく望むものの、芳が望まぬ以上はどうしようもないことだった。翁屋が仮宅を終えて吉原へ戻るまでに、澪自身も道を見つけねばならない。

この手で厚く垂《た》れ込めた雲を切り払って進むと決めた。鼈甲珠《べっこうだま》をどんな形で商うのか、その算段をどう整えるか、考えるべきことは沢山ある。だが、まずは足もとを固めよう。縁あって頼まれた料理を工夫し、喜んでもらう。そうして少しずつでも道を拓《ひら》いていくのだ。澪は自身に言い聞かせて、無理にも目を閉じた。


神無月三日は、底冷えのする寒い朝となった。それでも鮮《あざ》やかな菫《すみれ》色に染まり始めた空は、日中の快晴を約束してくれる。

煮炊きの蒸気を逃がすために開け放たれた勝手口から、何とも美味しそうな匂《にお》いが流れて、つる家の表を行く者たちの鼻を釣り上げた。

「朝っぱらから良い匂いさせやがってよぅ」

恨めしそうに呻《うめ》く声が調理場まで届いて、ふきは慌てて引き戸を閉める。調理台には運び易《やす》いように重詰めされた料理が並んでいた。

「刺身と椀物はよし房で作るんだな。あとは、例の……」

そう言って、種市は包丁を握る澪の手もとを覗き込む。

幾重《いくえ》にも重なった昆布は重石をかけて長く炊かれたことで、漆黒《しっこく》の塊《かたまり》と化していた。その両端を切り落として、形を整えると、崩さないように深い塗りの箱に収める。

「切り分ける作業もよし房の調理場でします」

良かったら味見を、と言われて、種市は切れ端に手を伸ばした。一枚一枚がねっとりと密着しているため、苦労して剝《は》がす。剝がしたものを芳とふきにも配ってから、店主は手の中に残ったものを恐る恐る口に運んだ。

「うっ」

店主は呻いたあと、味わいを確かめながら、噛み続けている。澪も気になって、俎《まな》板《いた》に残った切《き》れ端《はし》を口に入れた。

何も交えず、ただ極上の真昆布のみ。ぴたりと密着した昆布の層は、噛むほどに濃厚な旨みを放《はな》ち、何時《いつ》までもずっとこうして噛み続けていたい、と願わせる。これのみをお菜に際限なくお櫃の白飯が食べたくなる、実に罪作りな味わいなのだ。

「お澪坊、こいつぁいけねぇ、白飯をくんな」

案《あん》の定《じょう》、店主は叫んで身を捩《よじ》った。澪は嬉《うれ》しくなって、満面に笑みを浮かべる。

「お早うございます、お迎えにあがりました」

折りも折り、表で坂村堂の声がしていた。

「荷は私どもにお任せください」

同行のよし房の奉公人らが、てきぱきと重詰めを風呂敷に包んで運び出す。荷が残らずつる家から運び出されると、澪は坂村堂とともによし房に向かうこととなった。

「では、澪さんをお借りします。必ず今夕の三方よしに間に合うようにしますので」

表まで見送りに出た店主にそう約束して、坂村堂は丁寧《ていねい》に頭を下げる。

旦那さん、と澪も案じる声をかけた。

「三方よしに用いる食材のこと、宜《よろ》しくお願いします」

わかってるぜ、と店主はおおらかに頷いた。

「里芋《さといも》と牛蒡《ごぼう》、蓮根はあるから、むかごと銀杏《ぎんなん》を棒手振《ぼてふ》りから買っておくぜ。あとは生きの良い鯊《はぜ》だな」

澪から頼まれた食材を復唱して、店主は、ほろりと笑う。

「よし房んとこの宴に比べて、つる家の食材の何と慎《つつ》ましいことか。俺ぁいじらしくて泣けてくるぜ」

言葉とは裏腹に、種市は楽しげに言った。

日本橋佐内町は江戸橋を渡り、楓川《もみじ》沿いを南へ下った先にある。折りしも菊花を山と積んだ花舟が河岸に着けられて、典雅《てんが》な香りが辺《あた》りを覆《おお》っていた。旅籠よし房の調理場にも、菊花の芳香《ほうこう》が忍んでいるのだが、澪にはそれを愛おしむ余裕がなかった。

初めての調理場、それも座り流しで、座っての調理は骨が折れた。魚を捌《さば》き、椀物を拵《こしら》え、無我夢中で調理をこなしていく。

「お料理は全てお出ししました」

仲居にそう報告された時には、九つ半（午後一時）を回っていた。そのひと言で、澪は板敷に蹲《うずくま》る。緊張の糸が切れると、思うことはひとつだった。

柳吾や坂村堂など、口の肥えた招待客を満足させられただろうか。

澪の胸中を察したのか、仲居は、宴席から引いてきた器を示す。洗ってあるのか、と見間違うほど綺麗《きれい》に空《から》になっていた。

「主《あるじ》から、料理人にお運び頂くよう申し付かっております」

仲居頭《がしら》と思《おぼ》しき女に言われて、澪は、はい、と頷いた。宴は二階座敷で行われているらしく、階段をあがる途中から、もう房八の上機嫌の声が響いていた。

「いやあ、連れ合いが居るというのは良いものです。夜が寒くないのも実に良い。柳吾、お前さんも考えたらどうか」

この場におりょうが居れば、「声まで暑苦しい」と言いかねない、と澪は思い、仄《ほの》かに口もとを緩《ゆる》ませた。

つる家の料理人をお連れしました、と仲居頭が中に声をかける。座敷に通されると、澪は房八に深くお辞儀をして、顔を上げた。

店主夫婦に、招待客が四人。房八側に、柳吾と坂村堂とが並んでいる。ともに穏《おだ》やかな表情をしているが、不自然に膳が離されていて、歪《いびつ》な心の距離が感じられた。

「実に素晴らしい料理でした」

房八は満足そうに澪を見て、浅く頭を下げる。押せば脂《あぶら》が滲《にじ》み出しそうな豊満な体《たい》躯《く》は相変わらずで、たぷたぷと頬肉《ほおにく》が波打っていた。やはりふくよかな中年の後添いが、主を倣《なら》って澪に会釈《えしやく》をした。

「ひとつ、教えて頂きたいのですが」

柳吾が膳の器を示して、澪に声をかける。

「この昆布の料理はどういうものでしょうか」

朱塗りの器に、食べ易く切った昆布の塊がひとつ、残っている。

「天上《てんじよう》昆布、というものです。おめでたい席では、天上に届けとばかりに重ねた昆布をこうして料理してお出しするもの、と聞いています」

何時、誰が考案した料理なのか、詳しいことは澪にもわからない。ただ、昆布の中でも、白口浜の元揃昆布は極上品で、日本一の真昆布との意味を込めて「天上昆布」と呼ばれることから、この料理にも同じ名を当てたものと思われる。

「大坂では出汁を引いたあとの昆布も無駄にせず、甘辛く炊いてお菜としますが、同じ味付けでも、天上昆布の味わいには遠く及びません」

天上昆布、と繰り返して、柳吾は唸った。

「昆布同士がこれほどまでにぴったりと重なり合うとは。また、ここまで深い味わいになるとは。昆布は不勉強でしたが、この度《たび》は学ぶことが多かった」

「それは何よりですよ、柳吾」

房八は機嫌よく福耳を震わせる。

「今日のことは、嘉久《かきゅう》のお手柄だ。柳吾からも褒《ほ》めてやったらどうです？」

房八に水を向けられても、柳吾は黙ったままだった。

気まずい雰囲気を払うように、坂村堂は、澪さん、と呼びかけた。

「今日は本当にお世話になりました。片付けを終えられたら、お声をかけてください。つる家までお送りしますよ」

はい、と応えて、澪は両手を揃えて皆に深くお辞儀をすると、部屋を退いた。

「洗い物はこちらにお任せください」

「ありがとうございます。お願いします」

よし房の奉公人らの言葉に甘えて、澪は招待客の持ち帰り用の割籠《わりご》を整える。赤飯に天上昆布を添えたものは、ちょっとした夜食になるだろう。蓋を開くことで、今日の宴を思い返してもらえたら、と祈る。

よし房の奉公人たちの手を借りて片付けを全て済ませると、房八に暇《いとま》の挨拶《あいさつ》をするため、座敷に戻った。

失礼します、と断って襖を開ければ、室内には柳吾と坂村堂の姿があるのみで、房八夫婦とほかの招待客らは部屋を移った様子だ。恐らくは親子だけで話す場を、との房八の配慮なのだろうが、澪は、気詰まりな場面に遭遇したことに当惑する。邪魔にならぬよう、「お先に失礼します」とだけ断って帰ろうとした。その時だった。

「この通りです」

坂村堂がいきなり畳に額をつけ、柳吾への詫びを口にした。

「若気《わかげ》の至りとはいえ、親の忠告に耳を貸さず、家を飛び出したことをお詫びします。また、軽率《けいそつ》に生麩《なまふ》の作り方を洩らしたこと、言葉もありません」

澪は思わず、廊下に手をついて柳吾に深く頭を下げた。生麩のことでふたりに多大な迷惑をかけた澪なのである。

「ただただ、お許し頂きたく……」

坂村堂は声を絞る。柳吾は何も言わず、黙って腕を組んでいた。澪はその場を密《ひそ》かに去ることも出来ず、当惑して両の眉《まゆ》を下げるばかりだ。そんな澪に目を留めて、柳吾は仄かに笑んだ。

「今日の宴の料理、中でも天上昆布には感心しました。天満一兆庵の嘉兵衛さんは、実に良い料理人を育てたものです」

さて、では私はこれで、と言い置いて、柳吾はゆっくりと立ち上がった。そのまま、平伏している息子の脇をすり抜けて部屋を出ようとする柳吾に、坂村堂は縋《すが》った。

「待ってください、父さん。一柳の灯をどうか絶やさないでください。私が勝手をしたばかりに、あの店の跡を継ぐ者が居ない、というのはあまりに辛い」

思いがけないことを言われた、と思ったのだろう。何を今さら、と柳吾は足を止めて息子を見下ろした。

「お前さんは坂村堂という版元の主ではありませんか。料理屋の一柳とはまるで関係ないはずですよ」

「ですから」

坂村堂は必死で父親の前へと回る。

「父さんの目に適う料理人を加奈の婿に迎えて、一柳の跡を取らせてやってください。加奈は十五歳、必ず言い含めて従わせますから」

「何を……」

柳吾は絶句し、暫《しば》し棒立ちとなった。やおら片膝を畳につくと、坂村堂の胸倉をぐっと摑んで血走った眼で睨《にら》む。

「嘉久、お前は何処《どこ》まで愚かなのか。己《おのれ》が投げ捨てて行ったものを娘に拾わせるとは、何処までさもしい性根《しょうね》なのだ」

「そんな浅ましい気持ちで言っているわけではありません」

財産狙《ねら》い、と思われたのが心外だったのだろう、坂村堂もまた、声を荒らげる。

「消してしまった灯《とも》が再び点ることは難しい。登龍楼《とりゅうろう》のような紛《まが》い物の料理屋が横行することに歯止めをかけるためにも、一柳の灯を消してはならないのです」

「勝手なことを」

吐き捨てながら、柳吾は苦しげに胸を押さえた。見れば、額に脂汗が滲んでいる。

澪が腰を浮かせるのと、柳吾が前のめりに倒れるのと、ほぼ同時だった。

「父さん」

坂村堂は狼狽《うろた》えて、柳吾の肩を抱き起こす。

澪は廊下を走り、誰か、誰か、と懸命に叫んだ。


房八の判断ですぐに神田旅籠町に使いが出され、さほど刻を置かずに源斉が駆け付けた。

「源斉先生、父は大事ないでしょうか」

丁寧に診察をする医師に、傍《かたわ》らの坂村堂が青い顔で問う。柳吾は先刻よりぐったりと目を閉じたままだ。

源斉は患者の襟《えり》もとを合わせると、坂村堂に向き直った。

「激しい口論をされた、と仰《おっしゃ》いましたね。おそらく、それで一時的に心《しん》の臓《ぞう》が苦しくなられたのでしょう。若いうちは良いのですが、ある程度の齢《とし》になると、激しい気持ちの動きが心の臓や頭に負担をかけるため、まずそうしたことを避けてください」

源斉に幾分厳しい口調で諭されて、坂村堂は肩を落とす。そんな坂村堂の背中を、房八はぽんぽんと慰《なぐさ》めるように叩いた。

「私が妙な気を回して、お前と柳吾を二人きりにしたのが悪いのだよ」

暫《しばら》くはよし房で安静に過ごしてもらうから、と提案する房八に、坂村堂は頭を振る。

「動かせるようになれば、永富町《ながとみ》の我が家で静養してもらいます」

私の親不孝が全ての原因なのですから、と坂村堂は膝に置いた掌を拳《こぶし》に握った。

横になったままの柳吾が瞼《まぶた》を痙攣《けいれん》させたかと思えば、ゆっくりと双眸を見開いた。

坂村堂を認め、房八を認め、源斉に視線を向ける。父さん、と叫ぶ息子には応えず、
代わりに、先生、と掠《かす》れた声を出した。

「私はまだ生きるのですか？」

その問いかけに、源斉は患者の顔を覗き込んで、無論です、と明快に答える。

「ここ数日、気鬱《きうつ》や寝不足が続いていませんでしたか？　年相応に心の臓が弱っている上に、充分な休息のないまま過ごされたので、身体が悲鳴を上げたのでしょう。暫くは養生なさってください」

医師の言葉に、患者本人ではなく、息子の方が心底安心した風に長く息を吐いた。

源斉が帰るのに合わせて、澪も一緒によし房の表へ出る。風で吹き寄せられた色とりどりの落ち葉が、静謐《せいひつ》な佇《たたず》まいの旅籠に鄙《ひな》びた趣《おもむ》きを添えていた。

見送りに出た坂村堂に、源斉は、

「ご本人はご自宅での静養を望んでおられますので、明日以後、陽《ひ》のあるうちに温か

くして、寝かせたまま運んで差し上げてください」

と、忠告した。

いや、しかし、と言いかけて、坂村堂は黙り込む。源斉は坂村堂に一礼すると、澪にも軽く会釈して、帰路を急いだ。

陽射しの傾きに気付いて、澪は慌てる。坂村堂に暇の挨拶をしたが、その声も耳に届いていないのか、版元は石と化し、よし房の入口で立ち尽くすばかりだった。

「ああ、澪」

対岸に澪を見つけて、芳が小走りに俎橋を渡る。娘の帰りを今か今か、と待っていたのだろう。

「じきに七つ（午後四時）だすで」

もう入れ込み座敷は大半が埋まってますのや、と早口で言われて、澪はきゅっと表情を引き締めた。折りしも捨て鐘が三つ、鳴っている。澪は勢いよく橋板を蹴《け》って、つる家を目指した。

「澪姉さん」

調理場で包丁を握っていたふきは、駆け込んで来た澪を見て、ほっとした顔を見せる。調理台を見て、澪は、まあ、と息を呑《の》んだ。

鯊《はぜ》は天麩羅《てんぷら》用に捌かれ、衣をつけるばかりになっている。むかごも牛蒡も下拵《したごしら》えを終えていた。銀杏は割って殻と薄皮を外し、松葉に刺してある。湯気の立つ蒸籠《せいろう》で蒸されているのは、匂いからして里芋だ。

「これ、全部ふきちゃんが？」

きりりと襷《たすき》を掛けながら問うと、ふきは不安そうに、はい、と頷いた。

酢水に晒《さら》したり、皮を残したり、とこれまで教えたことをきちんと守って下拵えしてあって、澪は、素晴らしいわ、と感嘆した。

「旦那さん、以前、つる家で使っていた盆笊《ぼんざる》を貸して頂けますか？」

「盆笊？　蕎麦切《そばき》りを盛ってたあれだな？」

確かここに、と棚の奥を探ると、積み重ねた頑丈そうな盆笊が現れた。

「おお、こいつぁ趣向だ」

じりじりと肴《さかな》の登場を待ち兼ねていたお客たちは、運ばれてきた膳を見て歓声を上げる。

盆笊に、紙の掻《か》い敷《しき》。そこに熱々の鯊の天麩羅、素揚《すあ》げした蓮根にむかご、松葉に刺した銀杏、叩き牛蒡、それに里芋の衣被《きぬかつ》ぎが彩りよく盛られている。

「親父、今日の肴はえらく豪気だな」

お客から褒められて、種市は薄い胸を張って、おうとも、と応える。

「風に吹き寄せられたみてぇに、色んな肴を盛り合わせたんで、『吹き寄せ』てぇんだと。こんな粋《いき》な肴で酒が呑めるのは、江戸広しといえど、うちだけだぜ」

箸は使わずに、ひょいひょいと指で摘《つ》まんで食べてくんな、と店主は声を張る。

間仕切りから座敷の様子を覗いて、澪はふきと微笑み合った。

何時《いつ》頃からか、澪もはっきりとは知らないのだが、秋の味覚をひとつの器に盛り込むことを「吹き寄せ」と呼ぶ。よし房の表で吹き寄せられた落ち葉を見た時に、三方よしに、と思いついたのだ。

天満一兆庵では様々な型抜きを用意して、もっと姿よく仕上げていた。まだまだ至らぬ腕を思い、それでも間仕切りから覗くお客たちの幸せそうな笑顔に、澪は胸を満たした。

「神無月最初の三方よしも、やっぱり旨かったぜ。吹き寄せ、てぇのも良かった」

次も楽しみだ、との言葉を残して、最後のお客が帰った。

見送りを終えて調理場へ戻ると、澪は初めて激しい疲労を覚えて、板敷に座り込んだ。孝介の迎えが来て、りうが帰る時も、外まで送ることが出来ないほどだった。

「無理もねぇよ、今日はお澪坊は夜明け前から働き詰めだからよぅ。悪いこたぁ言わねぇから、今夜もご寮さんとこっちに泊まりな」

店主の勧めでそうすることに決めた時、勝手口の板戸をとんとん、と叩く音が聞こえた。

ふきが駆け寄って引き戸を開くと、提灯《ちょうちん》を手に坂村堂が立っていた。

「ご店主、それに澪さん、今日は色々と本当にありがとうございました」

板敷で居住まいを正して、坂村堂はふたりに深々と頭を下げる。居《い》る家と料理人それぞれに、後日よし房から改めて挨拶があることを伝えると、お茶を淹れている芳の方を振り返った。

「実は、それとは別に、ご店主とご寮さんにご相談したいことがあるのです」

芳はお茶を注ぐ手を止めて、坂村堂に問いかける眼差しを向けた。それを受けて版元は、低い声で告げる。

「今日、宴のあとで父が倒れまして……」

途端《とたん》、狼狽《うろた》えた芳の手が湯飲み茶碗にあたり、中身が板敷に広がった。

「お加減は？　一柳の旦那さんのお加減はどないだす？」

怯《おび》えた瞳で問う芳の様子に、坂村堂は軽く瞠目《どうもく》する。

版元の戸惑いの眼差しを受けて、澪は頭を振った。つる家へ戻るなり、三方よしの仕度に追われ、よし房での出来事を何ひとつ話していなかった。

そうした事情に察しがついたのだろう、坂村堂ははっきりとした口調で答えた。

「命に大事はありません。源斉先生がそう太鼓判を押してくださいました」

父の柳吾が自宅での静養を望んでいること、けれど一柳の奉公人のみでは病人への気遣いに不安が残ることを手短に語ったあと、坂村堂は改めて芳を見た。

「以前、ご寮さんには清右衛門先生のおかみさん、お百《ひゃく》さんの看病をお願いしたことがありましたね。偏屈極《きわ》まりないあの夫婦が、ご寮さんの手厚い看護を随分と褒め、感謝しておられました。そこで、もし、つる家のご店主にお許し頂ければ、暫《しばら》くの間、ご寮さんに父の看護をお願い出来ないか、と思いまして」

この通りです、と版元は畳に両手をついた。

ううむ、と種市が唸っている。

「そいつぁどうだろうか。ご寮さんに男の病人を看《み》させるのは話が違うように思いますぜ。そこはまず、嫁の立場で坂村堂のおかみさんが出ていくのが筋なんじゃねぇんですかい」

店主に諭されて、坂村堂は身を縮める。

「いえ、お恥ずかしい話、うちのは日がな一日、読本《よみほん》を読んでいるような女で、本に夢中になれば縦の物を横にもしません。父の看護が務まるとは到底思えないのです」

店主と版元の遣り取りをじっと聞いていた芳は、旦那さん、と種市を呼んだ。

「奉公人の立場の者が、こんな身勝手を、と恥じ入るばかりでおますが、一柳の旦那さんには、佐兵衛のことで随分とお世話になりました。看病することで御恩返しが出来れば、と存じます」

何とかお許し頂けませんでしょうか、と板敷に額をつける芳を、店主は慌てて制止する。

「ご寮さんが良いなら、俺に否《いな》やは無《ね》ぇよ。それにまあ、よし房の店主と違って、一柳の旦那なら、俺がどうこう心配することたぁねぇや」

ただ、と種市は思案顔でこう提案した。

「柳町と金沢町との往復は大変だ。暫くはお澪坊とつる家に泊まってくんな」

翌日は、桶に薄く氷の張る寒い朝となった。

入れ込み座敷の飾り棚には、可憐《かれん》な薄紅の山茶花《さざんか》が一輪、生けられている。花器にそれを挿したひとは、坂村堂とともに一柳に着いた頃か。

「澪姉さん」

呼ばれて調理場に急げば、ふきが自身の引いた出汁《だし》を小皿に取っている。そこに醤油を一滴おとして、少女は料理人におずおずと差し出した。

「良いわ、ふきちゃん、とても良い」

よく味わって、澪は感心してみせる。

又次《またじ》がふきの料理人としての筋の良さを褒めていたが、半年ほどの間によくぞここまで、と舌を巻いてしまう。澪に褒められて、ふきはそっと白い襷《たすき》に手をかけた。又次の形見の襷は、今までも、そしてこれからも、料理人としてのふきを守り励《はげ》ますに違いない。澪はそのことに安堵して、ふきと今日の献立の下拵えに取り掛かった。

「笊を干してくるわね」

粗方《あらかた》の拵えを終え、澪は笊を手に外へ出る。

風もないため、陽が高く上るにつれて寒さは少しずつ和《やわ》らいで、陽射しのもとに身を置けば、縮まっていた手足が伸びる。この様子なら、よし房から一柳へ移される柳吾の負担も少ない。そう思って小さく息をついた。

「呑気《のんき》に溜息《ためいき》などついている場合か」

背後から不機嫌な怒声が聞こえる。清右衛門先生、とその名を呼んで、澪は後ろを振り返った。案の定、銀鼠《ぎんねず》の桟留縞《さんとめじま》を着込んだ、顰《しか》め面の戯作者の姿があった。

随分と顔を見なかった、と澪は懐かしさで声を弾ませる。

「ご無沙汰《ぶさた》しています」

「たかが半月、ここへ顔を見せなかっただけではないか」

口を曲げて減らず口を叩くところは、少しも変わりがない。だが、皮肉屋のお面の奥に、存外情に厚い心が隠れていることを澪は知っていた。澪は両の手を揃えて膝に置き、戯作者に向かって深く頭を下げた。

「何の真似だ」

「翁屋が仮宅を終える頃には、つる家を出ます。旦那さんと約束を交わしました」

色々とお心遣いを頂き、ありがとうございました、と澪は心から礼を述べた。

野江《のえ》との経緯を知る清右衛門ならばこそ、種市に事情を打ち明け、澪が新たな道を歩めるよう示唆《しさ》してくれたのだ。あの夜、自《みずか》らの決心を澪に伝えた種市の様子を思い返すと、瞼《まぶた》の奥が熱くなる。

戯作者は黙って料理人を見下ろしていたが、

「長月七日、わしが師とも慕《した》い、敵とも憎んだ戯作者が死んだ。名を山東京伝《さんとうきょうでん》という。五十六だった」

と、ぼそり零《こぼ》した。

澪はそっと顔を上げて様子を窺《うかが》うが、清右衛門は澪の視線を避け、天を仰《あお》いだ。

「芸事に長《た》け、洒脱《しゃだつ》で粋、金遣いも美しく、馴染みの遊女を妻に迎える律儀者《りちぎもの》で、ひとからの人望も厚い。その何《いず》れも、わしは憎くて憎くて仕方なかった。やつはもっと長く生きると思ったが、そうではなかった」

清右衛門は、料理人に視線を戻すと、

「良いか、ひとに与えられた刻はそう長くはないぞ。さっさとあさひ太夫を身請けして、わしを愉《たの》しませることだ」

と、傲慢《ごうまん》な口調で締め括った。中坂の方へ立ち去りかけて、清右衛門は何を思い出したのか、ああそうだ、と声を上げる。

「登龍楼が、玉子の黄身の味噌漬けを新作料理として献立に載せたぞ」

やはり、と澪は青ざめて唇を噛んだ。

そんな娘を見て、しかし清右衛門はにやりと笑ってみせる。

「たっぷりと金箔《きんぱく》を纏《まと》わせて、『天の美鈴』という料理名だ。お代はひとつ二百文」

二百文、と澪は低く呻いた。法外な値だ。夏の土用の鰻《うなぎ》並の値段ではないか。

「その値でも、飛ぶように売れておるぞ」

「清右衛門先生は召し上がったのですか？」

澪の問いかけに、戯作者はふん、と鼻を鳴らした。

「味噌の辛い味しかせぬわ。実に詰まらん。名の付け方も田舎《いなか》じみておる。それに何より」

清右衛門は、不敵に笑う。

「ああした料理は、遊里で売れればこそ映《は》えるものよ。吉原再建後が、お前の真の勝負と心得よ」

戯作者なりの情の示し方に、澪は唇を引き結び、大きく頷いた。

夜四つ（午後十時）、木戸の閉まるぎりぎりになって、芳は漸《ようや》く一柳から戻った。随分と疲れた顔をしている。

「旦那さん、こない遅うまで勝手しました」

板敷に手をついて詫びる芳に、店主は、お疲れさん、と労《ねぎら》ったあと、案じる口調で尋ねた。

「一柳の旦那の具合はどうだったね？」

それが、と芳は小さく首を振った。

「一柳に戻らはって安心されたせいか、夕方からえらい熱が出て……」

先刻まで源斉の診察を受けていた、という。

「そいつぁ災難だ」

柳吾とは二歳ほどしか違わないためか、種市は随分と気の毒がり、店のことは気にせず充分看病するように、と芳に伝えた。

種市が内所へ消えると、芳とともに、澪は二階へ上がった。敷布団《しきぶとん》に夜着を重ねた中にふきが眠っている。すやすやと規則正しい寝息を乱さぬように、澪と芳は左右から夜着に潜り込んだ。ふきの体のぬくもりが夜着の中を暖めていて、冷えた身にはありがたい。

「暖かおますなあ」

「はい、ご寮さん」

澪は鼻まで夜着に埋まる。窓の外に月はなく、代わりに星明かりが淡く障子を照らしていた。彼方《かなた》で木戸番の打つ拍子木の音が夜の静寂《せいじゃく》に紛れる。ふたりは暫《しば》し、その音に耳を傾けた。

「一柳の旦那さんの苦しみが、私には自分に重なって見えるんだす」

澪に聞かせる風でもなく、芳は小さな声で呟く。

「暖簾を自分限り、と決心するのは容易《たやす》いことやない。長年かけてその気持ちを固めて、やっと、と思ったところへ、跡を取りたい、と言われる。どれほど心を乱されることやろか」

芳自身、跡を継いでほしいと願った佐兵衛に拒《こば》まれた。立場は違うが、時をかけて願った思いが覆《くつがえ》される苦しみは同じだった。

「いつぞやの、りうさんの言わはったような心持ちになるのは、容易やない。ひとの思い言うんは、ほんまに儘《まま》ならんもんやなあ」

芳の声が哀《かな》しく響いて、澪は切なくなった。

小雪《しょうせつ》を過ぎ、朝夕ばかりか日中も、風の寒さが身に応えるようになった。火鉢を使うのは、武家は神無月の初亥《はつい》、町屋はそれより遅れて二番目の亥の日とされている。今年はそれぞれ十二日と二十四日がこれに当たった。年寄りや病人の居る家では、武家に倣ってこっそり「玄猪《げんちょ》」と呼ばれる初亥に火鉢を出すのだが、それでもまだ大分と我慢せねばならなかった。

そんな寒さの中、今朝のつる家の調理台には、玉子と百合根《ゆりね》、海老《えび》に銀杏、それに柚子《ゆず》が並んでいる。

「やっとまた、これを出す時季になったか」

店主が感慨深く、蓋付きの大振りの茶碗を眺めた。はい、と澪も玉子を割る手を止めて深く頷く。番付で関脇位《せきわけい》を射止《いと》めて以降、つる家と言えばこの料理だった。

「ふきちゃん、それぞれの分量と手順とを、しっかり見て覚えるのよ」

横で料理人の手もとを覗き込んでいる少女に、澪は明瞭《めいりよう》な口調で告げた。

いつか、つる家を去る日が来る。それまでには、との澪の思いを汲んだのか、種市が眼を瞬《しばた》いた。

「さあさ、皆さん、お待ち兼《か》ね、つる家の今日の献立は」

表に暖簾が出たのだろう、手を叩きながらのりうの口上が聞こえてきた。

「千両役者のお出ましですよ、つる家名物茶碗蒸し、とろとろ太夫のお出まし、お出まし」

途端にどっと歓声が上がり、

「よっ、とろとろ屋っ！」

と、絶妙の合いの手が入る。

表の殷賑《いんしん》に耳を傾けて、種市はつくづくと、ありがてぇなぁ、と呟いた。

「お澪坊、ふき坊、今日も一日、頼んだぜ」

口調を違えて力強く言う店主に、澪とふきは、はい、と声を揃えた。

つる家がこの冬初めての茶碗蒸しを供する、との噂は瞬く間《またたくま》に周囲を廻《めぐ》り、店の外にまでお客が並んだ。

「こいつだよ、こいつ」

茶碗蒸しの器を両手で包んで、拝む者あり。

「逢《あ》いたかったぜ、とろとろ太夫」

と、涙ぐむ者あり。

あまりに盛況で、茶碗蒸しは暖簾を終う前に品切れとなり、最後には店主とりうが表に立って、お客に詫び続けねばならなかった。

その日、一番最後に店を訪れた源斉は、平身低頭の店主に対し、逆に申し訳なさそうに、

「実は夕餉を食べに伺《うかが》ったのではなく、翁屋さんからの頼まれごとでして」

と打ち明ける。そのまま調理場の板敷に通された源斉は、風呂敷に包んだものを、

料理人に差し出した。澪が風呂敷を開くと、見覚えのある二段の弁当箱が現れた。

「これに澪さんの料理を詰めて頂きたいのです。明日、私は今戸の翁屋の寮へ出向きますので、朝一番にこちらに取りに伺います」

ああ、とりうが懐かしそうな声を上げる。

「そう言えば、又さんがよく、翁屋の花魁《おいらん》用のお弁当を届けてましたねぇ」

「はい、今度は私がそのお役を頂戴しまして」

源斉は、おおらかに笑って応えた。

又次が誰にその弁当を届けていたのか、清右衛門から聞いている種市は、若い医師もまた事情を知っていることを悟った様子だった。

「それなら、弁当は明朝、一柳に預けておきますよ。どのみち、ご寮さんは毎日一柳へ通ってますからね」

わざわざここまで源斉先生が取りに来るんじゃ大変だ、と店主は提案した。

「ありがとうございます。一柳からなら船着き場も近いですし、助かります」

源斉は言って、澪の淹れた熱いお茶に手を伸ばす。

会話が途切れて、源斉の旨そうにお茶を啜《すす》る音だけがしていた。

「源斉先生、ご寮さんは一柳ではどんな様子ですかねぇ」

思いきったように、りうは若い医師に問う。

「何せご寮さんは朝早くつる家を出て、木戸の閉まる頃でないと戻らないから、あたしゃ、ここ何日もまるで顔を見てないんですよ」

店主にしても、それに澪にしても、疲れた様子の芳に詳細を聞くのを憚《はばか》った。皆が揃って案じている、と聞かされて、

「そうでしたか」

と、源斉は徐《おもむろ》に湯飲みを置いた。

「ご寮さんは病人の気持ちをよく理解して、手厚い看護をなさっています。そればかりではない、奉公人だと遠慮があって、なかなか養生を命じることが出来ないものですが、つい無理をして起きようとするご店主を諭す姿は頼もしい限りです」

最初のうちは遠巻きに眺めるだけだった一柳の奉公人たちも、今では芳に一目《いちもく》置くようになった、と聞いて、皆はほっと安堵した。

店主に命じられ、源斉を送って外に出ると、南東の空、鼓星《つづみほし》が美しい。丁度、日本橋の方角だわ、と澪はまだ帰らぬ芳を思う。

「ご寮さんは大坂で名料理屋の女将《おかみ》だった、と聞いていますが、一柳におられる姿を見て、今さらながら得心がいきました」

澪から提灯《ちょうちん》を受け取って、源斉は温かい声で続ける。

「身に纏うものは倹《つま》しいのに、そして特に何かをされるというわけでもないのに、ご寮さんが居るだけで店が華やいで見える。つる家ではそんな風に思ったことはないですから、おそらく一柳という店がご寮さんをそう見せるのでしょう」

ではまた、と会釈して医師は提灯の明かりを頼りに俎橋を渡っていく。

黒く艶《つや》やかな髪には、大粒の珊瑚《さんご》のひとつ玉。今の時季なら白茶地に寒菊をあしらった綿入れ小袖《こそで》。大坂の天満一兆庵に、このご寮さんあり――そう言われていた芳の姿を、澪は切なく思い返していた。


玉子の巻き焼き、鯖《さば》の塩焼き、春菊の白和《しらあ》え。俵型《たわらがた》のお結びには煎《い》った黒胡麻《くろごま》をちょんちょんと載せた。それに、おぼろ昆布。

食あたりを案じる季節ではないけれど、それでも充分に冷まして、切箔を施《ほどこ》した二段重ねの弁当箱に詰める。

「お澪坊、今朝は下拵《したごしら》えも済んでることだし、ご寮さんを送りがてら、一柳までそいつを持っていったらどうだい」

店主の進言を、澪は心から感謝して受けた。

「ご寮さん、澪ちゃん、表は本当に寒いからね、気を付けとくれよ」

つる家に着いたばかりのおりょうは、鼻を真っ赤にしている。

煮炊きの湯気で温かな調理場を出れば、寒風が吹き荒《すさ》び、思わず震え上がる。それでも久々に芳と並んで歩けることが、澪はありがたかった。

炭団《たどん》、たどーん

炭団、たどーん

炭団売りが良く通る声で傍らを過ぎていく。

「ああ、今日は玄猪だしたなあ」

芳が炭団売りの後ろ姿を目で追って、呟いた。今日から漸《ようや》く火鉢の出番となる。

ひぃ、ふぅ、と指を折り、芳は頭を振った。

「一柳に通うようになって、今日で九日にもなる。とろとろ茶碗蒸しで店も混む時やのに」

申し訳なさそうに、芳は身を縮めている。

源斉からは柳吾には充分な静養が必要で、なるべく芳についていてもらいたい、と聞いている。店主も澪たちも承知していることだ。

「ふきちゃんの料理の上達が早くて、私も随分と助けられています。なので、あまり

「ご心配なさらないでください」

澪は芳を安心させようと伸びやかに笑んでみせた。

鍛冶橋《かじばし》御門を右手に見て、北紺屋町の手前を曲がる。芳は慣れた足取りで先を行くが、その道順を歩いたことのない澪は、戸惑いつつも従った。風に青竹の芳香が混じるのを嗅《か》ぎ取って、ああ、と思う。この通りの奥に竹河岸があるのだろう。もとの天満一兆庵の江戸店《えどだな》を見ずに済むのがこの道順なのだ。

芳の心中を思い、澪は唇を引き結んだ。

「お早うございます」

一柳の前の通りを掃除していた年若い奉公人が、目ざとく芳を認めて笑顔を向ける。

お早うさんだす、と芳もお辞儀を返して、勝手口に回った。

「ご寮さん、では私はここで」

澪が風呂敷に包んだ弁当を芳に渡しかけたところで、奥から、旦那さま、旦那さまと悲鳴に近い声が幾つも上がった。

さっと芳の顔色が変わり、土間へと駆け込む。少し迷ったものの、風呂敷包みを抱えたまま澪も芳のあとへ続いた。

長い廊下を渡った先に、奉公人らの人垣《ひとがき》が出来ている。

「旦那さま、どうか今日のことは私どもにお任せになってくださいまし」

「どうぞお休みくださいますように」

年配の奉公人らの懇願の声が響く。

「何ぞおましたか」

一番手前の若い仲居に、芳が控えめに問いかけると、ああ、お芳さん、と何人かがほっとした表情で芳を振り返った。

「旦那さまが、『今日の宴だけは主である自分の手で』と仰《おつしや》って……」

床《とこ》を抜け出し部屋の設《しつら》えに取り掛かっている、と聞いて芳は眉根を寄せた。仲居らが譲った廊下を進み、芳は東に面した十六畳ほどの部屋へ入った。

店主の柳吾が、広げた掛け軸の前に座り込み、苦しげに肩で息をしている。顔色は土に近く、本復までまだ遠いことが窺われた。取り縋《すが》って制止しようと努めていた番頭と思しき奉公人が、芳を認めて、懇願の眼差しを投げた。

一柳の旦那さん、と芳は呼びかけて、畳に両の膝をついた。

「そないなお身体でご無理をされたら、あとあと取り返しがつかんようになります」

しかし、と柳吾は頭を振る。

「今日のこの宴だけは、一柳の名に賭けて、損じるわけにはいかないのです」

「御用商人さまの養子縁組の顔合わせ、と伺っておりますが、それならなおのこと、旦那さんは前に出はらん方がよろしおます」

病を押して何かあれば、おめでたい席に水を差す結果となる。これまで培《つちか》われてきた一柳ならではの持て成しの心は奉公人に引き継がれているのだから、任せて養生すべきだ、と芳は口調は柔らかく、しかしきっぱりとした声で説く。

「あと、差し出口でおますが、お部屋は替えはった方がええと存じます」

芳は障子の外へ目をやって、続けた。

「お隣りのお店は中庭に樹を植えておられます。この部屋からはそれがよう見えるんだす。この時季だすよって、障子はお開けにならんとは存じますが、万が一いうこともおます」

若い奉公人らは怪訝《けげん》そうに顔を見合わせている。だが、芳の言い分に柳吾ははっと息を呑んだ。芳の指摘が的《まと》を射ていたのだろう、柳吾は傍らの初老の番頭に、部屋を移すことを命じて、よろよろと立ち上がった。

「このひとの言う通りだ。あとは皆に任せよう。設えが終われば、ひと通り見せてもらいますが、主の挨拶なども今日は控えましょう」

ふらつく柳吾に、芳はさり気なく寄り添う。旦那さん、私の肩にお手を、との芳の言葉に、柳吾は芳の肩に手を置いて支えてもらい、歩きだした。

小柄な芳だが、柳吾の身を受け止め、背筋を伸ばして廊下を歩いていく。それが至極《しごく》、自然に映って、澪は他の奉公人らとともに、ふたりの後ろ姿を見送った。廊下を曲がってふたりが見えなくなると、初老の番頭は若い者たちに部屋替えを指図する。

「お前さんはお芳さんの？」

澪に目を留めて、番頭は問いかけた。

澪から事情を聞くと、番頭は快《こころよ》く弁当を預かり、感嘆の眼差しで芳の消えた方を眺めた。

「中庭に木を植えることは『困』に通じるから、上方《かみがた》では験《げん》が悪いこととして、家づくりの際に避けられる。そんな話を聞いたことがありました」

迂闊《うかつ》にも、あまりに見慣れた光景で、隣りの店の中庭の樹があそこまで育っていることに気付かなかった、と番頭は肩を落とす。

「めでたい宴の席で、隣家の困窮を眺めることになっては大変なこと。そうした心遣いが出来てこその料理屋です」

お芳さんは大したおかただ、と番頭は胸に刻む口調で言った。

一柳の奉公人たちが芳に重きを置く様子を垣間見《かいまみ》て、澪は誇らしさと同時に、一抹《いちまつ》の寂しさを覚える。そんな気持ちになる自身を恥じて、澪は番頭に一礼すると、一柳を辞した。

大伝馬《おおでんま》町のべったら市《いち》も終わり、江戸の街は初雪を見た。まだ積もる力もない儚《はかな》い雪だが、仄かな雪の匂いに、澪は確かに季節が一巡したことを思う。

「つる家さん、長い間、本当にありがとうございました」

神無月も残り六日、という夜。暖簾を終ったつる家の入れ込み座敷に、坂村堂の姿があった。柳吾の床上《とこあ》げが明日に決まった報告と、長く芳の手を借りたお礼に訪れたのだ。坂村堂の脇で、芳もまた店主に深く頭を下げた。

「坂村堂の旦那、ようございましたねぇ」

ご寮さんも長いことお疲れだったたね、と種市は相好《そうごう》を崩した。

「実は今日、父に一柳へ呼ばれまして……。家を飛び出して初めて、父子水入らずで、きちんと話し合うことが出来ました」

今回は父を激昂《げきこう》させることもなかった、と坂村堂は言って、傍らの芳に感謝の視線を向ける。

「ご寮さんご自身は何も仰いませんが、恐らくは父に、私と会って話すよう勧めてくだそうで、つっかかったのでしょう」

芳は黙って目を伏せたまま動かない。それで、と種市は気懸《きが》かりそうに先を促す。

「ちゃんと腹ぁ割って話が出来ましたか？」

「はい、随分と叱《しか》られてしまいました」

坂村堂は頭を掻《か》く仕草をした。

「父の言う通り、一柳は父の店です。残念ではありますが、父の代で終わることを私はどうこう言える立場にありません。また、娘の加奈の気持ちも考えずに持ち駒《ごま》のように扱おうとしたことも、厳しく戒《いまし》められました」

久々に親父の雷を受けて、何ともさっぱりしました、と坂村堂はほろ苦く笑う。

「これからは連れ合いや加奈を交えて、賑《にぎ》やかに父と接して行くことになります。全て、ご寮さんあればこそ、と感謝しています」

版元は言い、芳に向かって深く首《こうべ》を垂れた。

「坂村堂さん、何を……」

狼狽《うろた》える芳に、坂村堂は頭を下げたまま、言葉を続ける。

「私の母は、私が一柳を飛び出す前年に亡くなっています。父との関わりの中で、幾度、母が生きていたら、と思ったか知れません。そうすれば、ここまで父子の仲は拗《こじ》れなかったのではないか、と。子としての我が身の不実を棚に上げ、いつもそう思っていました。その思い違いを正してくださったのは、他ならぬご寮さんでした」

柳吾の居る部屋へ坂村堂を通す前に、芳は、坂村堂の言動が如何《いか》に柳吾を苦しめたかを諭したという。芳の代弁があればこそ、父の苦しみがわかった、と坂村堂は声を落とした。

「おや」

版元を皆で見送るため、表へ出ると、白いものがちらついていた。坂村堂は掌で雪の欠片《かけら》を受けて、今度のは積もりそうですね、と呟いた。

「明日、ご寮さんと澪さんに一柳までご足労頂くのに」

改めて礼を伝えたい、との柳吾の懇願により、ふたりは明朝、店開け前に一柳を訪ねることになっていた。

「まだ神無月のうちですからね、大して積もりゃしませんぜ」

店主に慰められて、坂村堂は丸い眼を細める。

幾度もあとを振り返り、その度に手にした提灯を軽く掲げて、坂村堂は頭を下げた。そうやって俎橋を渡っていく姿が、澪の目には、先日の佐兵衛と重なった。

「あんなに何度も……。坂村堂の旦那、よっぽど嬉しいんだろうよ」

坂村堂の後ろ姿を眺めて、店主は洟《はな》を啜る。

「ご寮さん、良いことをしなすったねぇ」

いいえ、と芳は小さく頭を振り、雪の帳《とばり》の向こうへ消えていく坂村堂の姿を何時《いつ》までも目で追っていた。

皆が店に入ったあとも、雪は深々と降り続き、一帯に純白の布団を敷いた。

深夜、熟睡していた澪は、冷たい手で頬を撫でられた気がして、ふっと目覚めた。頸《くび》を捩《ね》じって窓の方を見ると、障子を少し開け、芳が窓辺に座って空を眺めている。雪はつる家の窓の桟《さん》にまで置き土産《みやげ》を残して止《や》み、雲間の月が芳を淡く照らしていた。齢を重ねて少し丸くなった背中が、澪の方に向けられている。如何にも心細げに見えて、澪は思わず声をかけたくなった。だが、芳の背がそれを拒んでいるように映る。まだ佐兵衛の行方《ゆくえ》が知れなかった時、芳はひとり苦しみ、よく月を眺めていた。月を見上げる姿は同じなのに、今の芳は澪の知らないひとのようだった。

ああ、ご寮さんの胸には、一途《いちず》に想《おも》う誰かが居る。

恋を知り、恋を失った経験があればこそ、澪にはそれがわかった。

嘉兵衛が亡くなって四年、短いようで決してそうではない歳月だった。苦難の日々を経た今、芳の心の中に光を投げかけた人が居る。
――ひとは齢を重ねれば重ねるだけ、寂しくなっていく。誰かを支え、誰かに支えられてこそ、生きる望みも湧くというものです
――生きていて良かった、と自分で思えることが、何より大事なんですよ
りうの声が耳に届く。
澪はふと、芳も同じ声を聞いているのではないか、とその胸中を慮《おもんぱか》った。

翌朝、勝手口の引き戸を開けると、路地はぽってりと三寸（約九センチ）ほどの厚さの雪を抱いていた。

「今朝はふたりして一柳に行くってのに、生憎《あいにく》の足もとになっちまったなぁ」

脇から店主が外を覗いて、首を振った。

「陽射しがあれば、ぬかるんで難儀しますが、この寒さですし」

澪は寝不足の赤い目を外へ向けたまま応えた。ふたりの吐く息は真っ白に凍り、曇《どん》天《てん》へ上っていく。店主はぶるぶると身震いして、

「こんな日には、湯気の立つ熱々のものが食いたくなる。お澪坊、今日の献立に雪見鍋を加えてくんな。ついでに俺の夜食にも頼むぜ」

と、料理人に手を合わせてみせた。

「男伊達《おとこだて》より小鍋立て、ですね？」

澪は柔らかく笑って、手にした襷《たすき》を掛ける。

皆で朝餉を終えると、後片付けをふきに委《ゆだ》ねて、澪は芳とふたり・柳へと向かった。

雪掻きされた表通り、それ以外の脇道もひとびとの足で踏み固められて、歩くのにそう苦労はない。目を転じれば、葉を落とした樹々は寒々と見え、時折り混じる南天《なんてん》の葉の緑や、膨《ふく》らみだした赤い実に慰めを得た。

「この時期は色みのあるもんを見ると、何や心が和むなあ」

芳の独り言を耳にして、同じことを思っていたのに気付き、澪は芳にほのぼのと微笑んでみせた。

気が付けば、母わかと過ごしたよりも長い歳月を芳とともに生きている。ことに江戸に移っての丸四年、まるで本物の親子のように寄り添って暮らしてきたのだ。

昨年、房八が芳に懸想《けそう》した時には、母としての芳しか認められず、そのおんなとしての幸せを考えるのが怖くて、激しく動揺もした。けれど、昨夜の芳の背中を見てから、ずっと考え続けた。

芳に、誰よりも幸せになってほしい。

これまでの苦労や失意を埋めてあまりあるほど、幸せに。

「あ、お早うございます」

一柳の表の雪を除《よ》けていた奉公人が、澪たちに気付いて声を弾ませる。

お芳さんがたがお見えです、と奥へ声を張れば、先日の初老の番頭が顔を出した。

「お芳さん、長いこと本当にお世話になりました。お蔭様で本日より床上げでございます」

主の平癒《へいゆ》がよほど嬉しいのだろう、芳の手を取らんばかりに、こちらへ、と誘《いざな》った。

十畳ほどの奥座敷には、隅に長火鉢が据えられ、鉄瓶《てつびん》の湯気が室内を程よく潤《うるお》している。

何の道具か、膳の上に掛けられた布巾の隙間《すきま》から、擂《す》り鉢と匙《さじ》が覗いていた。だが、室内に在《あ》るべき主の姿はない。ただ、庭に面しているらしい障子が僅かに開いたままになっていた。

「旦那さま」

番頭が障子を開けると、見覚えのある庭の景色が拓けた。昨夏、この場所で苦しい思いをしたことも、今は懐かしい。庭の中ほど、身を屈《かが》めて雪を探る主の姿が在った。

「ああ、芳さん、それに澪さん」

　こちらに気付いて、柳吾は膝を伸ばす。病抜けした証《あかし》か、湯にも入り、髪結《かみゆ》いも呼んだのだろう、以前の風格ある若々しい容貌《ようぼう》に戻っていた。

「旦那さん、お身体が冷えますさかい」

　番頭より先に案じた声をかける芳に、柳吾は軽く頭を振ってみせた。

「芳さん、火鉢の鉄瓶が軽くなっているので、水を足して、湯が沸いたら教えてください」

　澪さんはこちらへ、と柳吾は澪を手招きする。番頭から履物《はきもの》を借りて、澪はひとり庭へと降りた。昨夏、頭上を緑色に覆っていた楓《かえで》も、今は剝《む》き出しの枝を天へと伸ばしている。踏み石伝いに柳吾のもとへと向かう。

「あなたに、これを見せたかったのです」

　柳吾は雪を掻き分けた一画を示した。おずおずと覗けば、純白の雪の中に、何の株か、思いがけず瑞々《みずみず》しい緑の葉を広げている。積雪の下にあって凍えず、枯れずにいるものの正体がわからないまま、澪は美しい緑の葉を凝視した。

　そんな料理人を、一柳の主は温かく眺める。

「これは麦ですよ」

「麦」

澪は驚いて柳吾を見た。

「そう、麦です。一柳を一柳たらしめたのは生麩ですから、麦への恩を忘れぬよう、僅かですがこの場所に育てているのですよ」

柳吾は腰を落として、慈しむ手つきでそっと葉に触れる。

春に丈《たけ》を伸ばす姿や、風に揺れる麦の穂を目にした経験は数多《あまた》あったが、雪下の姿は知らない。麦がどうやって越冬するか、考えたこともない澪だった。

澪の戸惑いを察して、柳吾は柔らかく笑んだ。

「秋に蒔《ま》かれて芽吹いた麦は、冬の間、こうして雪の下で春を待つのです。陽射しの恩恵をじかに受けるわけでもなく、誰に顧《かえり》みられることもない。雪の重みに耐えて極《ごっ》寒《かん》を生き抜き、やがて必ず春を迎えるのです。その姿に私は幾度、励まされたか知れない」

ただ寒中の麦を思へ
神籤《みくじ》に記された言葉が、澪の脳裡《のうり》に浮かんだ。

ああ、あれはそうした意味に違いない、と澪は今、初めて神籤の真意を悟った。

「旦那さん、お湯が」

奥座敷から芳が控えめに柳吾を呼ぶ。柳吾は芳に頷いてみせると、息を詰めている娘を家の中へと誘った。

「芳さん」

長火鉢の前に座ると、柳吾は居住まいを正した。

「二十日の長きに亘る、あなたの手厚い看護のお蔭で、心《しん》の臓も楽になり、こうしてまた一柳の店主としての務めを果たすことが出来ます。ありがとうございました」

それに、と柳吾は穏和な表情を澪に向ける。

「芳さんの不在で忙しい思いをさせてしまった。あなたにもお詫びします」

芳と澪は互いの視線を絡ませて、笑みを零した。ともに両の掌を畳に置く。

「一柳の旦那さん、この度は無事の床上げ、何よりのこととお祝い申し上げます」

芳に倣い、澪も深く頭を下げた。

「病み上がりで、ろくな持て成しが出来ないのですが」

柳吾は言って、傍らの膳の布巾を外す。蓋付きの湯飲み茶碗に、漆塗りの匙等々。

擂り鉢にあるのは、きめ細かくした砂糖だろうか。

「身体の温まるものを用意させて頂きます」

予《あらかじ》め温めておいた器に白いものを入れ、ぬるま湯をほんの少し注《そそ》いで充分に溶かす。

一気に鉄瓶の熱湯を注ぎ、慣れた手つきで匙で掻き混ぜる。その手順を見て、澪は、柳吾の作ろうとしているものに見当がついた。

砂糖らしきものと、霰《あられ》に刻んだ何かが加えられ、茶碗の蓋が閉められる。同じ作業を繰り返し、お盆に並べたものがふたりの前に置かれた。

「頂戴いたします」

茶碗を手に取る芳を真似て、澪も手を伸ばして蓋を外す。刹那《せつな》、柔らかな柚子《ゆず》の香りがした。

透明なとろみに匙を入れて掬《すく》い上げると、ぎりぎり匙に留まり、やがて耐え切れずとろりと落下する。絶妙な葛湯《くずゆ》だった。口に運んでゆっくりと味わえば、霰に刻んであるものは生の柚子皮ではない。蜜煮《みつに》にしてあるものと知れた。

何て美味しいのだろう。否、美味しいだけではない、ぬくもりのある優しい味に、身も心も慰められる。澪は滑らかに息を吐いた。

鍋で作れば確実に透明に仕上げることの出来る葛湯を、茶碗の中だけで同じように作るには工夫が要る。熱い湯に熱い器、甘みを加える順序など、いずれが欠けても葛は白濁し、美しくは仕上がらない。そうした工夫は、相手を想う気持ちがなければ生まれない。飲むひとのことを心から大事に想う、その情が味わいを一層深めているのだろう。

相済《あいす》みません、と小さく詫びて茶碗を置くと、芳は指先で目頭《めがしら》を押さえた。下瞼に涙が盛り上がっていた。

「どうなさいました？」

案じる眼差しを向ける柳吾に、芳は、俯《うつむ》いたまま掠れた声で答える。

「昔を思い出して、何や胸が詰まってしもて」

芳の涙の理由に思い至り、澪は唇を引き結ぶ。

以前、伊勢屋《いせや》の美緒《みお》の祝言《しゅうげん》の日の膳を考えあぐねていた澪に、芳は語っていた。嘉兵衛と芳が祝言をあげた夜、妻のために夫が作ったのが葛湯だった。夫亡きあとも、その優しい味を思い出しては、色々なことを乗り越えてきた、と。

芳の思い出が、亡き夫に纏わるものだと察したのだろう、柳吾は労《いた》わるように頷いて、暫くの間、黙った。

重苦しさに耐えて、澪はふと視線を障子に向ける。曇天が切れて陽が射しているのだろう。表が明るくなっていた。

「ああ、陽が出てきたようですね」

柳吾は手を伸ばして障子を少しだけ開いた。思いがけず強い光が部屋に入る。光は柳吾と芳を結ぶように射していた。少しの間、畳に落ちた陽光を眺めて、柳吾は芳に向き直った。

芳さん、と名を呼ぶと、膝に両の手を置いて、芳の双眸をじっと見つめる。

「私はもうこの齢だ、生きることに執着《しゅうちゃく》はなかった。けれども今は、生きていて良かった、否、まだ生きていたい、と心から思うのです。病を得なければ、あなたの看病を受けなければ、抱くことのなかった気持ちでした」

柳吾は、ほんの少し躊躇《ためら》い、真摯《しんし》な表情で続けた。

「あなたは得難《えがた》いひとだ。残る人生をあなたとともに歩みたい、そう願っています」

芳は息を呑み、両の掌で唇を覆う。その傍らで澪は、ずっと思い描いていた芳の幸せの形が、くっきりと輪郭を持って光を放ち始めるのを感じていた。

「澪さん」

涙ぐんでいる娘に視線を移すと、柳吾は語りかけた。

「本来なら佐兵衛さんに話すのが筋でしょうが、芳さんにとって、あなたは娘同然。だから、今日、この場に立ち会って頂きたかったのです」

ありがとうございます、と澪は柳吾に深々と頭を下げる。

柳吾は外の陽射しに見入ったあと、改めて、強い志《こころざし》の宿る瞳を芳に向けた。

「亡くなった嘉兵衛さんへの想いもあるでしょう。気持ちに区切りをつけることは難しいかも知れない。けれど、私はそうした想いも全て受け止めて、あなたというひとと生きていきたいのです」

ゆっくりと、柳吾は畳に両手をついた。

「芳さん、どうか、私のもとにいらしてください。あなたが受けてくださるまで、この命のある限り、待たせて頂きます」

耐え切れず、芳は顔を覆って泣いている。その姿が昨夜の芳の後ろ姿と重なった。これまで幾度も幾度も、芳の涙を見てきたけれども、今の涙はこれまでのものとは全く違う。澪にだけはわかることだった。

泣き続ける芳に腕を差し伸べて、澪はその背中を撫でる。

ご寮さん、どうぞ幸せになっておくれやす。

言葉にせぬ想い、娘としての想いを、自身の掌に託して、澪は芳の背を撫で続ける。

漸《ようや》く訪れた幸せの兆《きざ》しに、澪は寒中の青々とした麦の姿を重ねあわせた。

巻末付録　澪の料理帖

面《おも》影《かげ》膳《ぜん》の中の「謎」

材料
高野豆腐……4枚
醤油……大さじ2
酒……大さじ2
卸し生姜……大さじ2
胡麻油(揚げ油)……適宜
青海苔……適宜

下ごしらえ
＊高野豆腐《こうやどうふ》2枚は、そのまま卸《おろ》し金で卸しておきます(衣《ころも》として使用)。――A
＊高野豆腐2枚を戻します。市販のものは指定された方法に従いましょう。
＊下味用の調味料(醤油《しょうゆ》、酒、卸し生姜《しょうが》)は、あらかじめ合わせておきます。

作りかた
1 戻した高野豆腐を絞《しぼ》り、1枚を半分に切り、厚みを3等分にします。俎《まないた》と水平に包丁を入れて、少し波打つように動かしましょう。(高野豆腐1枚につき、6つ取れます)
2 1に下味をつけます。合わせ調味料を軽く揉《も》み込んで、15分ほど置きます。
3 2の高野豆腐をぎゅっと絞ってから、Aの衣をまんべんなくつけます。衣が馴染《なじ》むまで30分ほど置きましょう。

4 熱した油で3を揚げます。この時、いきなり高温で揚げずに、低めの温度から徐々に上げていくようにします。

5 ひっくり返して、こんがり揚がれば完成です。青海苔《のり》を振って召し上がれ。

ひとこと

油で揚げるうちに具材から衣が剝《は》がれてしまうことがありますが、手順の3と4を守れば大丈夫。中身も衣も高野豆腐だとは、なかなか見破られない「謎」の料理です。是非、お試《ため》しを。

慰《なぐさ》め海苔《のり》巻《まき》

材料（細巻き10本分）
米……2合
干瓢……30g
おろし山葵……適宜
焼き海苔（半切）……10枚

調味液
A［寿司酢］酢 60cc／砂糖 40g／塩 10g）
B［干瓢用］（出汁 1・5カップ／醤油 大さじ3／砂糖 大さじ2）

下ごしらえ
＊お米は研《と》いで、水加減をします。
＊干瓢《かんぴょう》は戻して絞《しぼ》り、海苔《のり》幅に合わせて切っておきます。

作りかた
1 寿司酢《すしず》を作ります。Aを混ぜ合わせて火にかけ（煮立たせ厳禁）、調味料が完全に溶け合ったら冷ましておきます。
2 ご飯を炊きます。あとで寿司酢を合わせるため、ほんの少し水を控《ひか》えて炊き上げてください。
3 酢飯《すめし》を作ります。炊き立て熱々のご飯に、1の寿司酢を様子を見ながら回しかけます。余った寿司酢は酢飯を触る時の手水《てみず》代わりにします。
4 3を団扇《うちわ》などで充分に冷まし、濡《ぬ》れ布巾《ぶきん》を被《かぶ》せて1時間ほど置きましょう。

5 干瓢に味を入れます。Bが煮立てば干瓢を入れ、蓋《ふた》をして弱火でことこと。仕上げに蓋を外《はず》して煮詰め、冷ましておきます。

6 充分に冷めたら、5を固く絞り、巻き易《やす》いように伸ばします。

7 巻き簾《す》に海苔を置いて、4の酢飯を広げ、真ん中に6の干瓢を置いて、お好みで山葵《わさび》を載《の》せ、くるりと巻きます。

8 濡れ布巾で包丁を拭《ぬぐ》いつつ、食べ易いように切って召し上がれ。

ひとこと

海苔巻一本につき、干瓢は3本くらい、酢飯は60ｇから70ｇほど。飽きのこない味で、食欲のない時でも手が伸びますよ。海苔は澪《みお》のように、巻く直前にさっと炙《あぶ》ると一層美味《おい》しいです。

心ゆるす葛湯《くずゆ》

材料
柚子蜜煮用
柚子……1個
砂糖……大さじ1
水……100cc

葛湯用（1人前）
葛（できれば吉野葛）……小さじ2
上白糖……小さじ1
熱湯……150cc

下ごしらえ
＊柚子《ゆず》は皮を塩で擦《こす》り、丁寧《ていねい》に洗っておきましょう。
＊葛湯《くずゆ》作りは熱が命ですので、沸騰《ふっとう》した湯をたっぷり用意してください。
＊上白糖と葛はそれぞれ、湯に溶け易《やす》いように細かく砕いておきましょう。

作りかた
1 まず、柚子の蜜煮《みつに》を作ります。柚子の皮と中身とを分けます。中身は絞《しぼ》って果汁を取っておいてください。
2 柚子の皮の白い部分は、ほんの少し残すだけであとはこそげ取ります。処理の済んだ皮を5ミリ角の霰《あられ》に刻みましょう。
3 たっぷりの湯を沸かし、2を入れて90秒ほど沸騰させたら、笊《ざる》に上げて冷たい水に放ちます。再度笊に取り、水気を切っておきます。

4 鍋に分量の水と砂糖、それに1の果汁を入れて沸かし、煮立ったら3の柚子を入れて、汁気が無くなるまでことことと煮ます。

5 煮汁が無くなれば、（江戸時代にはないけれど）クッキングシートなどに広げて乾かしておきましょう。

6 次に、葛湯を作ります。まず最初に、葛湯用の湯飲みに沸騰した湯（分量外）を張って、器《うつわ》を温めておきます。

7 充分に器が温まったら湯を捨て、葛を入れて少量のぬるま湯（分量外）で溶かします。綺麗《きれい》に溶けたら、１００℃の湯を注《そそ》ぎ、勢いよく混ぜます。

8 葛が透明になるまで混ぜたら、上白糖と5の柚子の蜜煮を適量入れて、さらに混ぜて完成です。

ひとこと

葛湯の温度が下がるのを避けるために、混ぜる匙《さじ》なども温めておきましょう。柚子の蜜煮は葛湯に使うため、霰に刻んで飲み込み易くしました。蜜煮の作り方は数多くありますが、柚子のほろ苦さを残すことをお勧《すす》めします。

麗《うるわ》し鼈《べっ》甲《こう》珠《だま》

材料
白味噌……50g
赤味噌……50g
こぼれ梅（味醂の搾り粕）……100g
酒……大さじ1
味醂……大さじ1
玉子……2個
晒し（またはガーゼ）……適宜

下ごしらえ

＊玉子は割って白身と黄身を分けておきます（白身は使用しません）。

＊容器の大きさに合わせて、晒《さら》しを切っておきましょう（2枚）。

作りかた

1 擂《す》り鉢《ばち》に、白味噌《みそ》、赤味噌、こぼれ梅、それにお酒と味醂《みりん》を入れて、丁寧《ていねい》に、滑《なめ》らかになるまで擂ります。

2 容器（市販の豆腐パックくらいの大きさがベストです）に1を詰めて、晒しを載《の》せます。1の生地は全部使わず、少し残しておきます。

3 2に、卵黄がおさまる窪《くぼ》みを2つ、作ります。

4 別の晒しに、2で残しておいた生地を塗り付けます。

5 3の窪みに卵黄を入れ、4をそっと上に載せます。この状態で3日漬《つ》け込んで完成です。

ひとこと

卵黄は破れ易《やす》いので、面倒でも4の手順を踏んでくださいね。こぼれ梅を生地にすることで、奥行きのある甘さが生まれます。3日より長く漬け込むと味は落ちますから、美味《おい》しいうちに召し上がれ。

特別付録

みをつくし瓦版

インタビュー／りう　販元／神田永富町坂村堂

皆さま、お久しぶりです。つる家の妖怪、もとい、看板娘のりうでございます。お休みの間にも「りうの質問箱」に沢山のお便りを頂き、あたしゃ本当にありがたくてねえ。今回もまた、お寄せ頂いた質問の中から、作者に尋ねてみましょうね。

りうの質問箱1　大の月、小の月

作中の人物たちの台詞《せりふ》に「大の月」「小の月」というのが出てきます。一体何なのでしょうか。

作者回答

澪の時代は、一か月の長さを月の満ち欠けの周期に合わせていました。月が地球を一周するのに約二十九・五日。なので、一か月を二十九日と三十日の二種で調整し、二十九日を「小の月」、三十日を「大の月」と呼びました。ちなみに新暦では三十一日が「大の月」、三十日以下を「小の月」と言います。月の満ち欠けを基準に一か月の長さを定めると、一年は約三五四日。これでは季節と暦の間にずれが生じるため、およそ三年に一度、閏月《うるうづき》というのを設けることになるのは、本編の中にある通りです。

りうの質問箱2　災害の多さについて

作中の登場人物たちが、災害に遭うのが多過ぎます。いくら物語とはいえ、気の毒です。

作者回答

水害に火災、疫病、と確かに登場人物を襲

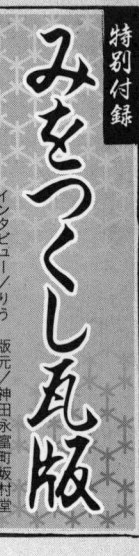

う災害は多いですね。ただ、享和二年の大坂の大水害、文化十三年の吉原全焼、同年の豪雨等々、いずれも史実に基づいています。また、江戸庶民の暮らす裏店《うらだな》は「焼屋《やきや》造り」と呼ばれ、記録に残らない火事も相当あったことが推測できます。罹災《りさい》によって、どれほどの困難が当時のひとびとを襲ったことでしょうか。そんな思いを重ねてお読み頂ければ、と願っています。

りうの質問箱3　江戸時代の料理書

江戸時代にも料理書が存在した、というのは本当ですか?

作者回答

はい、江戸時代には「豆腐百珍」を始め、数多くの料理書が刊行されました。ただし、料理の手順にざっくり触れるのみで、分量などの記載はありませんから、今日のレシピ本とは随分違います。それでも想像力はかきたてられますし、黄身返し玉子のように後々まで語り草となる料理もあります。近年、江戸時代の料理書を読み易く解説した本も出版されていますので、機会があれば是非ご覧ください ませ。

☆お便りってのは良いですねぇ、読み返す楽しみがありますからね。引き続き、あたしゃ皆さまからのご質問をお待ちしていますよ。（りう）

宛先はこちら

〒一〇二-〇〇七四
東京都千代田区九段南二-一-三〇 イタリア文化会館ビル五階
株式会社角川春樹事務所 書籍編集部
「みをつくし瓦版質問箱」係

特別収録

秋麗《しゅうれい》の客

――おや、良い男だこと

そのお客がつる家の暖簾《のれん》を潜《くぐ》った時から、りうは、妙に心を引かれた。年の頃、三十前後か。濃い眉《まゆ》の下に、聡明《そうめい》そうな双眸《そうぼう》。穏《おだ》やかな表情ながら、疲れが色濃く滲《にじ》む。身に纏《まと》う上総木綿《かずさもめん》は上物らしいが、幾分くたびれている。足もとは草鞋履《わらじば》き。長旅の途中だろう、とりうは見当をつける。

長月《ながつき》二十二日。昼餉《ひるげ》時を大分と過ぎて座敷には他のお客の姿はなかった。

「巷《ちまた》で噂《うわさ》の『ありえねぇ』という料理をお願いします」

りうの案内で入れ込み座敷に通されるや否《いな》や、男は慌ただしく注文した。

おやまぁ、とりうは申し訳なさそうに、歯のない口をきゅっと窄《すぼ》めてみせる。

「あれは早い話、蛸《たこ》と胡瓜《きゅうり》の酢の物なんですよ。もう胡瓜の時季は過ぎちまいましたから」

そうですか、と男は落胆の色を隠せない。

「流山《ながれやま》の白味醂《しろみりん》を使った料理、と聞いていたので、是非とも一度、食してみたかったのですが」

「まあ、流山の白味醂をご存じなんですか」

りうは、ぱん、と両の手を打ち鳴らす。

「あれは素晴らしい味醂ですよ。味が良いのは勿論《もちろん》のこと、料理を色みよく、美しく仕上げることが出来る……とまぁ、これはうちの料理人の受け売りなんですけれどね。あの味醂のお陰で、この店の料理の幅も広がったんですよ」

白味醂を使った料理が良いなら、とりうは上機嫌でこう提案した。

「つる家の今日の昼餉のお勧《すす》めが、鰯《いわし》の味醂干しなので、それをお持ちしましょうか」

鰯の味醂干し、と男は嬉《うれ》しそうに繰り返す。

「飯や汁は要《い》りません。替わりにその味醂干しというものを二人前お願いします」

男の注文に、りうは目を丸くした。よほど白味醂がお好きなんですねぇ、と言いながら、調理場へ注文を通しに行く。

ほどなく運ばれてきた膳《ぜん》を見て、男は首を傾《かし》げた。膳の上には器《うつわ》が二つ。開いた鰯が載《の》っている平皿と、もうひとつは豆小鉢《まめこばち》。

「豆小鉢の中身は、うちの料理人の試作の品で、特別にお味を見て頂《いただ》こうと思いましてね」

まずは味醂干しからどうぞ、と勧められて、男は箸《はし》で鰯を摘《つま》み上げ、つぶさに観察する。照《て》りのある鰯の身に白胡麻《しろごま》の色みが美しく、何とも美味《おい》しそうだ。味醂の甘く芳《かぐわ》しい香りと鰯独特の匂《にお》いとが決して争わず、むしろ食欲に訴《うった》えてくる。男は大きな口で、がぶりとひと口。両の目を閉じて、口の中のものをじっくりと味わう。よくよく嚙《か》んで飲み下すと、ほう、と大きく息を吐いた。

「驚きました。初めて食べる味です。塩水に漬《つ》けて干した干物とはまるで違いますね。甘い鰯が、これほどまでに旨《うま》いとは」

その言葉に、りうの低い鼻がぐんと伸びる。

「食材の嫌《いや》な臭《にお》いを包み込む、上品な甘みを付け味わいを深める――味醂にはそんな不思議な力があります。煮崩《にくず》れを防ぎ、良い焼き色を付け、照りを出すのも得意技ですよ。お砂糖とも違う、丸い甘さは味醂ならではです」

「その通りです」

男は身を乗り出して、深く頷《うなず》いてみせる。

「焼酎《しょうちゅう》で割って吞《の》むだけでは勿体《もったい》ない。味醂は料理に使ってこそ、本領を発揮するのです」

「お客さん、よくご存じだこと。それなら是非、こちらも召し上がれ。この匙《さじ》を使って、漬け汁ごと食べると美味しいですよ」

差し出した匙を手に、男は豆小鉢の中をじっと覗《のぞ》いた。松の実と、砕《くだ》いた胡桃《くるみ》。黒い実は何だろう、と匙で掬《すく》い上げる。

甲州《こうしゅう》名物の干し葡萄《ぶどう》、とりうから教わって、男は恐《おそ》る恐《おそ》る匙で掬ったものを口に入れた。

「こ、これは」

瞠目《どうもく》した男を見て、りうはにんまりと笑う。

「甘くて美味しくて驚くでしょ？　あたしゃ、密《ひそ》かに『おやつ』と呼んでるんですよ。漬け汁の正体は煮切った味醂。それだけなんです」

加熱しない料理で味醂をそのまま使うと、酒の味が出しゃばって美味しくない。煮切ることで尖《とが》りが取れて円《まろ》やかな味わいになる。

「料理書には味醂を使った料理は殆《ほとん》ど登場しませんが、うちの料理人のように味醂の力を知りさえすれば、もっと広まると思いますよ」

話に聞き入る男の瞳《ひとみ》に、滲むものがあった。

食事を終え、りうに送られて表へ出ると、男は、眩《まぶ》しげに天を見上げた。高い空に鰯雲が泳ぎ、柔らかな秋の陽射《ひざ》しが心地よい。

「商《あきな》いで諸国を廻《まわ》り、少々疲れていたのですが、先ほどの料理と、あなたの味醂の話でまた歩きだす気力が生まれました」

秋麗《しゅうれい》の客は疲れの取れた表情で言い、少し躊躇《ためら》ったあと、こう続けた。

「実は私はつる家さんに大変な恩を受けた身。まだご恩返しは出来ておりませんが、いずれ天下を取ったなら、と夢を抱いております。紋次郎《もんじろう》がそう言っていた、とお伝えください」

丁寧《ていねい》な辞儀を残して、男はつる家を後にする。

首を捻《ひね》り、紋次郎、紋次郎、と繰り返していたりうは、もしや、と顔色を変えた。

「白味醂の生みの親の、相模屋《さがみや》さん……」

りうの視線の先、相模屋紋次郎は蒼天《そうてん》を背負い、軽《かろ》やかな足取りで俎橋《まないたばし》を渡っていく。

本書は時代小説文庫（ハルキ文庫）の書き下ろし作品です。
「特別収録　秋麗の客」は、朝日新聞（二〇二二年九月二三日付）
〈広告特集〉kikkoman × BON MARCHE Special Edition
にて掲載された作品を収録いたしました。

文小時
庫説代
た 19-10

残月《ざんげつ》 みをつくし料理帖《りょうりちょう》

著者 髙田《たかだ》 郁《かおる》

2013年6月18日第 一 刷発行
2019年8月18日第十九刷発行

発行者 角川春樹

発行所 株式会社 角川春樹事務所
〒102-0074 東京都千代田区九段南2-1-30 イタリア文化会館

電話 03(3263)5247[編集] 03(3263)5881[営業]

印刷・製本 中央精版印刷株式会社

フォーマット・デザイン&
シンボルマーク 芦澤泰偉

ISBN978-4-7584-3745-5 C0193

http://www.kadokawaharuki.co.jp/[営業]
fanmail@kadokawaharuki.co.jp[編集] ご意見・ご感想をお寄せください。

〈 髙田 郁の本 〉

八朔《はっさく》の雪　　みをつくし料理帖

料理だけが自分の仕合わせへの道と定めた上方生まれの澪。幾多の困難に立ち向かいながらも作り上げる温かな料理と、人々の人情が織りなす、連作時代小説の傑作。大好評「みをつくし料理帖」シリーズ、第一弾！

花散らしの雨　　みをつくし料理帖

新しく暖簾を揚げた「つる家」は、ふきという少女を雇い入れた。一方、神田須田町の登龍楼で、澪の創作したはずの料理と同じものが同時期に供されているという――。果たして事の真相は？大好評「みをつくし料理帖」シリーズ、第二弾！

想い雲　　みをつくし料理帖

版元の坂村堂が雇う料理人と会うこととなった澪。なんとその男は、行方知れずとなっている天満一兆庵の若旦那・佐兵衛と共に江戸へ下った富三だった。澪と芳は、佐兵衛の行方を富三に尋ねるが――。大好評「みをつくし料理帖」シリーズ、第三弾！

時代小説文庫
ハルキ文庫

時代小説文庫
ハルキ文庫

時代小説文庫
ハルキ文庫

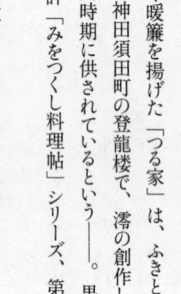

今朝の春　みをつくし料理帖

月に三度の『三方よしの日』、つる家では澪と助っ人の又次が作る料理が好評を博していた。そんなある日、伊勢屋の美緒に大奥奉公の話が持ち上がり、澪は包丁使いの指南役を任されたが――。大好評「みをつくし料理帖」シリーズ、第四弾！

小夜《さよ》しぐれ　みをつくし料理帖

表題作『小夜しぐれ』、つる家の主・種市と亡き娘おつるの過去が明かされる『迷い蟹』他、『夢宵桜』、『嘉祥』の全四話を収録。澪の恋の行方も大きな展開を見せる、大好評「みをつくし料理帖」シリーズ、第五弾！

心星《しんぼし》ひとつ　みをつくし料理帖

天満一兆庵の再建話に悩む澪に、つる家の移転話までも舞い込んだ!!　幼馴染みの野江との再会、小松原との恋の行方は？　つる家の料理人として岐路に立たされる澪。「みをつくし料理帖」シリーズ史上大きな転機となる第六弾！

時代小説文庫
ハルキ文庫

時代小説文庫
ハルキ文庫

時代小説文庫
ハルキ文庫